Padres desesperados con hijos adolescentes

Juan M. Fernández Millán
Gualberto Buela-Casal

Padres desesperados
con hijos
adolescentes

EDICIONES PIRÁMIDE

COLECCIÓN «GUÍAS PARA PADRES Y MADRES»

Director:
Francisco Xavier Méndez
Catedrático de Tratamiento Psicológico Infantil
de la Universidad de Murcia

Diseño de cubierta: Gerardo Domínguez

© Juan M. Fernández Millán
   Gualberto Buela-Casal
© Ediciones Pirámide (Grupo Anaya, S. A.), 2007
Juan Ignacio Luca de Tena, 15. 28027 Madrid
Teléfono: 91 393 89 89
www.edicionespiramide.es
Depósito legal: M. 43.986-2006
ISBN-10: 84-368-2078-9
ISBN-13: 978-84-368-2078-2
Printed in Spain
Impreso en Lavel, S. A.
Polígono Industrial Los Llanos. Gran Canaria, 12
Humanes de Madrid (Madrid)

A los hijos que se convertirán en padres
y a los padres que fueron hijos.

«Nuestra juventud es decadente e indisciplinada. Los hijos no escuchan ya los consejos de los padres. El fin de los tiempos está próximo.»

ANÓNIMO CALDEO, 2000 A. C.

Índice

Prólogo

La adolescencia, esta etapa de eclosión, de inquietud, de risas y llantos, en la que se interactúa con los demás —los denominados iguales— y se discute con uno mismo.

Vitalidad, efervescencia, ilusión, tristeza y hasta desesperación definen una etapa donde la ropa que se lleva, las modas y los efímeros mitos a imitar cobran un valor inusitado. Cambios biológicos muy marcados conllevan cual primavera colorido radiante, expansión incontenida y alegría.

Porque los padres que no hace tanto pasamos por esa estación de la vida, dejando atrás el estadio de la niñez, para alcanzar la dilatada edad adulta, pareciera que nos sorprendemos con las conductas, los silencios los posicionamientos reactivos y negativistas que todas las generaciones han vivido.

Tener un adolescente en casa es fuente de ilusiones, preocupaciones y disgustos. En fin, de controversia, de vida.

Llegará el día —para algunos tan deseado— en que el joven abandone el hogar, convirtiendo el mismo —en ocasiones— en un «nido vacío».

Personal y profesionalmente, niego la mayor «los adolescentes son un problema». No, no es verdad, son una suerte, un lujazo, una oportunidad de ser y sentirnos jóvenes.

Claro que está la discusión por la hora en que han de llegar a casa y que se «cuelgan» al teléfono y después llegan las facturas —pero no a ellos— y que pasan de la euforia y la utopía a la depresión y la rabia incontenida en breve espacio de tiempo.

Pero la adolescencia es sobre todo una búsqueda de identidad, un grito de libertad, un decir «sentencias» cuando lo que reina es la inseguridad, la duda.

Pareciera que el adolescente lo sabe, lo puede todo, descubre el mundo y así es, para él.

Y se enamora con intensidad ingenua y estudia a ratos y practica deporte y quizás beba y fume imitando a los adultos y lo haga de forma impulsiva, incontenida.

Porque necesita vivir rápido, porque el tiempo se le estira y achata sin poder condicionarlo.

Su vida, su día a día no es previsible, tampoco para el propio adolescente.

La adolescencia se reparte entre el colegio o instituto, la discoteca, el parque y el hogar de los padres.

Gusta del grupo, del ruido, de las motos, de los mensajes entrecortados del «móvil», del «zapping» (no sólo televisivo), de la música, pero caracterizado por compartirlo con los de su edad. Ése es su secreto, ésa es su fuerza, su identidad grupal, generacional, distinta.

A casa llega un adolescente que a veces se siente lejano de sus mayores, incomprendido, que descansa estando «tirado», durmiendo a deshoras, comiendo de forma inconsistente, «plantándose» delante del ordenador («chateando», «introduciéndose en los videojuegos»), o aislándose mediante unos cascos que trepanan su cerebro con una música sobrada de decibelios.

Y es que son sorprendentes, a veces hiperactivos y en otros momentos dejados, vagos. Ocasionalmente pulcros, pero también descuidados.

No lo dudemos, esta etapa hay que vivirla, hay que disfrutarla con nuestros hijos, no podemos temerla, ni rebozarnos en los tópicos y las frases hechas, que acaban convirtiéndose en una profecía autocumplida.

Podría extenderme mucho, el tema lo merece, pero no escribiría un prólogo, sino un libro y esa labor la han realizado de forma clara, concisa, amena y pedagógica Juan M. Fernández Millán y Gualberto Buela-Casal, dos acreditados psicólogos, con mucha profesión a cuestas, que conocen muchos, muchos casos. Juan además trabaja en un centro, donde los problemas son parte de la cotidianidad; Gualberto es un maestro del estudio, de las teorías, desde su cátedra universitaria.

Son hombres inquietos que han realizado este puntual maritaje para exponer de forma sencilla (que no simple), lo que es complejo. Prueba inequívoca de saber mucho y tener capacidad para extraer lo fundamental y presentarlo de manera interactiva.

Porque este libro precisa de ustedes, de ustedes padres, pero también de su hijo/s adolescente/s.

Mire, educar no es una ciencia, es un arte, que requiere disfrutar de esa ingente, preciosa e incomparable labor.

Precisa amor, sí amor, AMOR con mayúscula, hacia los hijos.

Y criterio de lo que debe hacerse y lo que resulta contraproducente y coherencia y equilibrio afectivo y madurez cognitiva y... ejemplos positivos.

Sí, los ingredientes son muchos, hemos de elaborar la obra en conjunción, primordial la labor de los padres entre sí y con los maestros y maestras y con los abuelos y otros familiares.

Claro que además de los padres y la escuela, educan los medios de comunicación e Internet... y que hay globalización y presión de consumo... y que hemos heredado un erróneo «dejar hacer»... y que las administraciones están desbordadas... y que ser joven pareciera que dé derecho a todo... y que el trabajo nos agota y secciona el tiempo... y que la tecnología hace que sepamos menos que nuestros hijos... y que a veces nos convierten en «cajeros automáticos».

Si la vida es así —o la hacemos así— es verdad que no se enseña a educar.

Hay muchas, muchísimas razones que nos defienden de nuestras impotencias, incapacidades, falta de aptitudes.

Pero yo le estoy hablando a usted de actitudes, de disposición. Sabedor de que somos humanos, de que nos equivocaremos, de que nuestro hijos también han de ponerse en nuestro lugar y luchar por la felicidad común.

Si ha comprado este libro, lleva mucho, muchísimo ganado, es usted un lector (lo que le convierte en un ser inusual, pues aunque somos seres dialógicos, hay quien siempre quiere hacernos creer que una imagen vale más que mil palabras) y además de lector está preocupado (y espero que ocupado) con la educación de su hijo/a. Lleva casi todo ganado.

Porque ¿hay adolescencia o muchas adolescencias? ¿Se comportan todos los adolescentes igual, sean como sean los padres?, ¿no influye la educación anterior impartida en los primeros años, los primeros meses, los primeros días de sus hijos?

Claro que cada niño (cada persona) es distinto.

Y recuerde que un adolescente capta, interioriza, mucho más de lo que usted cree lo que le dicen los adultos —otra cosa es que parezca que no escucha, o que hasta se mofe ocasionalmente de lo que se le dice en «la ponencia».

Adolescencia, una etapa cronológicamente en cambio, que se presenta quiérase o no con violencia, pero que se canaliza, sufre o disfruta, dependiendo de la actitud de los padres, de la disposición anterior, del conocimiento mutuo, del respeto propiciado.

Al llegar a la adolescencia el niño tiene que haber ganado en libertad y autogobierno, tiene que haber desarrollado su autoestima, debe saber empatizar y conocerse, ha de saber reír y reírse de sí mismo y en la medida de lo posible auto-controlarse y valorar positivamente a los otros, y tener capacidad de diferir gratificaciones y de aceptar frustraciones, y de tener un «locus de control interno», o lo que es igual, llevar la vida en sus propios brazos.

¡Mucho parece!, pero la inmensa mayoría de los niños con la ayuda de los menos niños lo consiguen. Algunos no, y por fallos educativos sufren en la infancia y desgracian la vida de los demás en el otoño de su ciclo.

La verdad, sé mucho de los adolescentes, porque me reúno con ellos en colegios, en institutos, porque me muevo entre ellos —hasta donde me dejan— en su ambiente de ocio, porque los he visto y tratado en el gabinete psicológico. Porque también he trabajado con los conflictos en un centro de reforma nacional y en la fiscalía del Tribunal Superior de Justicia y Juzgados de Menores de Madrid y como Defensor del Menor.

Soy consciente de las separaciones de padres mal llevadas; y del riesgo de la droga (incluido el alcohol); de la violencia (a veces entre iguales, a veces la antinatural contra la madre); de los embarazos no deseados; de las fugas de casa; de los intentos autolíticos; de la bulimia/anorexia; de otras patologías mentales; de...

Pero este prólogo que va terminando ha sido escrito con el ímpetu de un adolescente (tal y como las ideas fluían). Porque creo que ningún padre o madre debe «desesperarse» por convivir con un adolescente, aunque haya momentos de incomprensión, de fatiga. ¡De verdad, disfrute de su hija, de su hijo adolescente, pasee con ellos, hábleles de lo que a usted le interese, sea padre o madre —nunca colega—. ¡Mírele a los ojos, no tenga miedo a que crezca, reconózcale distinto a usted y atractivo/a!

Mi mujer y yo hemos tenido la oportunidad de hacerlo con Javier, ahora lo hacemos con Beatriz y les aseguro que para mí no hay nada más bello, más gratificante. ¡Y que nadie me diga que no hay tiempo, depende simple y llanamente de sus prioridades!

¡Disfrute de este libro e inmediatamente después dígale a su hijo/a que lo está leyendo para mejorar, si es posible, una relación que es de AMOR!

En Madrid, octubre de 2006.

JAVIER URRA
Ex adolescente
Ex Defensor del Menor
Padre
Psicólogo de la Fiscalía de Menores de Madrid
Director del programa de Radio Exterior
de España «Niños del Mundo»
Patrono de UNICEF
Profesor de Ética de la Facultad de Psicología
de la UCM

Bibliografía recomendada

Urra, J. (1995). *Adolescentes en conflicto*. Madrid: Pirámide (4.ª edición en 2004).

Urra, J. (1997). *Violencia, memoria amarga*. Madrid: Siglo XXI.

Urra, J. (1998). *Niños y no tan niños*. Madrid: Biblioteca Nueva.

Urra, J. (2000). *Charlando sobre la infancia*. Madrid: Espasa.

Urra, J. (2001). *El futuro de la infancia*. Madrid: Pirámide.

Urra, J. (2004). *Escuela práctica para padres*. Madrid: La Esfera de los Libros (3.ª edición en 2006).

Urra, J. (2006). *El pequeño dictador. Cuando los padres son las víctimas*. Madrid: La Esfera de los Libros (11.ª edición).

Introducción

El manual que acaba de abrir es un intento de guiar a los padres en el difícil oficio de educar a unos hijos que se encuentran en una edad conflictiva. Si le sirve de consuelo, la experiencia con los padres que acuden a las consultas ha confirmado que tarde o temprano (cuando el joven supera esta etapa) las relaciones vuelven a ser más armoniosas... siempre que los conflictos se hayan mantenido dentro de unos límites, es decir, «siempre que no se haya estirado tanto la soga que haya llegado a romperse».

Como puede deducir, lo que en este manual encontrará ha sido utilizado por los padres que durante los años han pasado por las consultas psicológicas con problemas similares. Los frutos que han obtenido de los consejos/técnicas han dependido de lo dispuestos que estuviesen de cambiar también ellos y del tiempo transcurrido desde que comenzaron sus problemas con su hijo.

Permítame detenerme en esto último un poco más. Es frecuente que los padres cuando llegan a la consulta piensen que el problema sólo incumbe a su hijo y que será éste el que deba asistir a la terapia. Después de quedar sorprendidos cuando se les cita a ellos y les manda «tarea» para casa, lo siguiente es preguntar «¿cuándo cambiará mi hijo?». Ese nudo gorgiano sin solución recibe siempre la misma respuesta:

¿cuántos meses/años llevan con el problema? Si hubiesen padecido una enfermedad física ¿habrían tardado tanto en acudir en busca de ayuda? ¿Qué respuesta recibirían si hubiesen padecido un cáncer?

Pero no hay que desanimarse, estos mismos padres, aquellos que se lo toman en serio y «trabajan», poco tiempo después empiezan a recoger sus frutos. Y ello por dos fuentes. Primero, como es natural, porque sus hijos cambian; pero, y esto es más importante, porque ellos cambian también.

Este manual debería ir dirigido a las madres y escrito pensando en ellas y refiriéndonos a ellas. Pero notará que no es así, que al dirigirnos al lector lo hacemos pensando que es un padre.

La razón no es, ni mucho menos, un ataque de feminismo... más bien todo lo contrario ya que lo que intentamos criticar es que los que están más necesitados de este manual son los padres. Que son los que no acuden a las escuelas de padres, los que no van a las reuniones con los profesores, los que no quieren saber nada de la consulta del psicólogo.

Parece ser que los hombres actuales han hecho un esfuerzo por ser más   y cariñosos, conocer la sexualidad de la mujer, etc. Sin embargo, en cuestión de ponerse al día en la educación de los hijos, siguen pensando que es labor de sus madres.

Por eso cuando colocamos en el texto el pronombre «usted» nos estamos refiriendo principalmente a los padres.

Si después de leer esta introducción cree que este manual no va con usted o que en él no va a encontrar la ayuda que busca, al menos siga un consejo: hable más con su hijo, conózcalo mejor e intente comprenderlo.

Advertencia

Este manual es para «cambiar». Si su intención es limitarse a su lectura, no pierda el tiempo.
Tampoco debe leerlo si usted ya cree que:

— Ha hecho todo por su hijo.
— El problema es sólo de su hijo, es él el que debe ir a un psicólogo.
— El único culpable es usted, por ser un mal padre.
— La culpa la tiene la madre.
— La culpa la tiene la genética.
— La culpa es de la sociedad.
— No está dispuesto a cambiar.

Pero probablemente ninguno de esos casos es el suyo y la prueba de ello es que está usted leyendo el manual. Por lo tanto ya tiene parte del camino recorrido: a usted le preocupa su hijo y está dispuesto a cambiar y a darse una oportunidad para mejorar su relación. Ánimo.

1

Antes de empezar

Quizás sea interesante que antes de enfrascarse en la lectura (y la práctica) de este manual de instrucciones conozca, aunque sea de forma somera, lo que consideramos debe ser la educación de un adolescente. Si al finalizar de leer las siguientes aclaraciones usted está mínimamente de acuerdo con ellas, será el momento de continuar la lectura, de adentrarse en estos y otros principios que le orientarán en el quehacer como padres desesperados de un hijo adolescente.

Y recuerde que si usted se hace a diario la pregunta de si está haciéndolo bien con su hijo, es que la respuesta es afirmativa pues, al menos cuenta con la base más importante: su preocupación y su afán por superarse.

Lo que hay que saber sobre la educación de los adolescentes (12 + 1 aclaraciones):

1. La educación de un adolescente comienza cuando éste tiene pocos meses de vida. No podemos esperar que un niño al que siempre le hemos recogido sus juguetes, se convierta en un adolescente que mantenga ordenado su dormitorio. Ni que un niño al que se le han impuesto siempre las soluciones, aunque éstas fuesen las correctas y se impusieran por su

bien, sea capaz de ir adquiriendo una autonomía sin caer constantemente en peligrosos errores.

2. La educación de un adolescente es como la pesca con caña: a veces hay que soltar sedal y otras recogerlo. A esto es a lo que se le ha llamado una educación moderadamente autoritaria.

3. Cuando buscamos un cambio hay que ponerse (muy) pequeñas metas, fáciles de conseguir. Una gran meta no alcanzada es una derrota; un avance, por pequeño que sea, es una victoria para usted y para su hijo.

4. La conducta no es una línea recta, está llena de altibajos. Una recaída no nos debe desmoralizar, sino servir para trabajar más.

5. Es importante que expresemos nuestros sentimientos, que el adolescente sepa qué nos preocupa o cómo nos afecta su actitud. Aunque (a veces) parezca mentira, son sus padres y siempre hay un vínculo. Además eso le servirá de modelo para él mismo.

6. Repetir, repetir y repetir... ésa es la cuestión. Explicarle cien veces lo que deseemos.

7. Dejar las puertas abiertas, de forma incondicional. No queme los puentes. Nuestro hijo debe saber que puede echar marcha atrás, que nos va a tener siempre allí. Asegurarle que si busca ayuda, si en un momento nos necesita, nos va a encontrar, aunque estemos en desacuerdo.

8. Responsabilizar. No cargue con sus errores. El adolescente debe saber que, como dice Sabater, puede hacer lo que quiera, pero siendo responsable de las consecuencias.

9. Recordar cómo éramos a esa edad y qué hacíamos, cómo era nuestra relación con nuestros padres y cuántas normas nos saltábamos. Si olvidamos las diferencias impuestas por los cambios sociales, descubriremos que no hay tanta diferencia entre nosotros.

10. Partir de una idea: Las exigencias de independencia, de osadía, de tomar sus propias decisiones, pueden ser un problema en nuestra relación familiar, pero son un principio indispensable para que el menor se convierta en un adulto.
11. Observe lo que refuerza con su conducta y con sus comentarios. Si hace comentarios xenófobos, no se escandalice si su hijo agrede a otro menor o es denunciado por actos vandálicos. Si le ríe la gracia por llamar a un profesor con un mote, no pretenda que luego sea correcto con sus amigos o le respete a usted.
12. Usted tiene en sus manos más que nadie la solución. Y con esfuerzo y preparación lo conseguirá. Tenga presente que, aunque a veces crea lo contrario, usted es muy importante para su hijo y, además, es más competente de lo que piensa.
13. Las conductas son aprendidas y por tanto modificables.

Tema de discusión:

— *¿Y por qué temas discuten con su hijo?* Solemos preguntar a los padres que llegan a consulta.
— *Por todos.* Es la rápida y más frecuente respuesta que dan los padres.

Sin embargo, esto no es así. Un estudio más «reposado», sin acaloramiento les muestra que sus discusiones suelen centrarse alrededor de unos pocos temas que se repiten bajo diversos formatos.

Qué me dice de usted, ¿también piensa que discute de todo con su hijo? Hágase esta pregunta con la que comenzaba el epígrafe y escriba la respuesta en el siguiente recuadro.

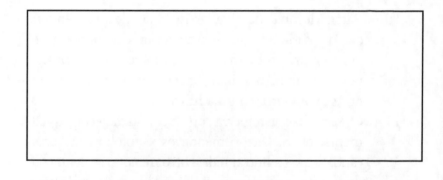

Un estudio realizado por el profesor Javier Elzo en la Universidad de Deusto muestra que los jóvenes españoles discuten con sus padres (o sus padres discuten con ellos) por los siguientes temas que se presentan por orden de importancia:

— La falta de colaboración en el trabajo doméstico (38,8 por 100).
— La hora de llegada a casa por las noches (30,4 por 100).
— Los estudios (28,5 por 100).
— En relación al dinero (26,6 por 100).
— La hora de levantarse (25,4 por 100).
— Pasarse con el alcohol (13,1 por 100).
— Las amistades (9,1 por 100).
— Temas religiosos (6 por 100).
— Las ideas o actitudes políticas (5,5 por 100).

(Datos obtenidos en una encuesta realizada en 1999.)

2

Sepamos un poco sobre la adolescencia y nuestra forma de educar

(Porque conocer es aceptar, porque conocer nos permitirá centrarnos en lo que de verdad debemos cambiar)

La adolescencia, un tiempo de cambios.
Nuestra idea de educar.

La adolescencia, un tiempo de cambios

La adolescencia podría definirse, siendo shakesperianos, como «cambiar o no cambiar, ése es el dilema».

En muchas ocasiones nos olvidamos de cómo éramos de adolescentes, qué cosas nos preocupaban o qué cosas nos exigía «nuestra» sociedad. Pondré un ejemplo: en cierta ocasión, una señora de avanzada edad protestaba muy indignada porque se había topado en un portal con unos jóvenes («que no tendrían más de 20 años») besándose, sus protestas se dirigían al hecho de que hoy en día las jóvenes se «liaban» con sus novios enseguida. Cuando se le interrogó sobre con cuantos años había tenido su primer hijo (lo cual conllevaba haber realizado el acto sexual), contestó que con 18, eso sí, dentro del sacramento matrimonial. Fue infructuoso explicarle que si hoy en día los jóvenes esperaran a casarse para tener relaciones sexuales, habrían perdido un tercio (al menos) de su periodo de vida sexual.

Vega (1984) nos aclara que el adolescente se encuentra en conflicto entre una continua dependencia familiar y las nuevas demandas de independencia que recibe. Será este conflicto el que provoque tantas discusiones, tantos choques entre sus padres y el joven, pero no olvidemos que es misión del adolescente dejar la niñez y terminar siendo un adulto. ¿Preferiría no tener discusiones con su hijo y que a los 40 años éste siguiera dependiendo para todo de usted? (esperemos que la respuesta sea negativa).

Su hijo está inserto no sólo en la familia, sino también en la escuela, el grupo de iguales, la sociedad... y de cada uno de estos círculos recibe refuerzos por ser más o menos dependiente/independiente. Es como si por realizar una misma acción recibiera refuerzos por parte de uno de sus padres y castigo por parte de otro (algo que tampoco es tan infrecuente).

A lo largo de la adolescencia, la misión de los padres será que su hijo vaya adquiriendo mayor responsabilidad, tarea que tendrá que haber empezado en la niñez.

En nuestra sociedad, salvo por una serie de pautas legales, como cumplir la mayoría de edad legal, no existen rituales de transición, como ocurre en otras culturas, ni normas claras de cuándo, cuánto o cómo debe de cambiar el adolescente. Sólo hay una cosa cierta: al final de la adolescencia se le exigirá al joven que haya cambiado y se haya convertido en un adulto preparado para afrontar una nueva etapa (Erikson, 1968).

Para los padres, y sobre todo para las madres, nuestros hijos siempre son pequeños y tendemos a pensar que debemos ir limpiando su camino de obstáculos, sin embargo, esto es lo que nos lleva a los continuos enfrentamientos durante la adolescencia, pues en realidad nuestra misión debe ser enseñarle a pasar entre estos obstáculos y estar tras él por si tropieza con uno, ayudarle a levantarse. Un dicho muy acertado reza: «*Dale a tu hijo dos cosas imperturbables: las raíces y las alas*».

Durante la adolescencia, nuestro hijo tendrá que adquirir una identidad personal, esto significa adquirir una autoimagen, una identidad separada de la de los demás; tendrá que conseguir una identidad sexual y una separación del grupo familiar que le prepare para la búsqueda de pareja y éxito laboral. En esta búsqueda se verá muy influenciado por el grupo de iguales con el que se identifica, pues comparte con él dudas y preocupaciones.

Unido a estos cambios se encuentran la transformación fisiológica madurativa, el crecimiento corporal y los cambios hormonales que le llevan a esa excesiva (para nosotros) preocupación por su apariencia física.

Muchos de los enfrentamientos entre padres y adolescentes se ocasionan por desconocimiento de los cambios que experimenta el adolescente y que no sólo no hay que recriminar, sino que deben potenciar, aunque esto suponga cambiar sus ilusiones o planes o piense que pierde autoridad.

Entre estos cambios hay que tener presente que la adolescencia es un periodo en el que el joven necesita descubrirse a sí mismo, reflexionar, volver su mirada hacia adentro. Es por esto por lo que desea permanecer tiempo a solas, se encierra en su habitación, no sale de ella cuando hay visitas, prefiere pasear a solas... Es un tiempo que necesita para reflexionar, por ello debemos comprender este repliegue y facilitarlo. Es la edad de los diarios íntimos que ayudan a poner un poco de orden en la cascada de pensamientos que le desbordan.

El adolescente se vuelve más tímido (lo que a veces interpretamos como desafío o descortesía), ya no quiere ir al cine con su padre, ni acompañarle en los viajes familiares (¿por qué arruinarse las vacaciones imponiéndole su participación?).

Otro cambio que se observa, y que puede interpretar de forma errónea, es su necesidad de diferenciarse de usted y del niño que ha sido hasta hace poco. Esta nueva actitud se manifestará en la adaptación de una jerga característica de su grupo de edad y en un constante y drástico cambio de imagen (lo que incluye vestuario, tinte y corte de pelo y pendiente en oreja, labio...), recuerde cómo se vestía usted cuando era joven y la opinión de su padre, por no hablar de la de su abuelo. Sin embargo, estos cambios suelen ser un motivo de conflicto cuando en realidad son lógicos (teniendo en cuenta su significado evolutivo) y necesarios para alcanzar la madurez («no se puede hacer una tortilla sin romper unos huevos»).

Junto a estos cambios, el adolescente, que percibe el aumento de su musculatura y su mayor control motriz, adquiere una atracción por el riesgo, por probar sus límites. El problema se plantea cuando esta tendencia se encuentra potenciada por unos inadecuados modelos, por una constante exigencia social y grupal y por unas normas laxas que no ponen freno a conductas innecesarias, peligrosas e inútiles (hacer el «caballito» con la moto, conducir contra sentido, etc.).

Esta atracción por el riesgo, se une con la necesidad de «exceso» que se manifiesta en llegar de madrugada, consumir alcohol más allá de lo conveniente...

Conocer estas manifestaciones y entender que son consecuencias de los cambios que está experimentando su cuerpo y su mente, servirá para comprender de forma adecuada los motivos del menor cuando cree que se enfrenta a su persona. No queremos decir con ello que deba aceptarlos u olvidarse de continuar su labor educativa, pero sí plantearnos cuándo ésta es necesaria y si es conveniente enfrentarse u orientarlo.

Para terminar este apartado quisiéramos mencionar los estudios realizados por Bachman (1970) sobre la delincuencia en estas edades. Estos estudios mostraron que la delincuencia juvenil está mediatizada por factores sociales, personales y familiares. Según el autor, existe una relación inversa entre delincuencia y relaciones familiares. Así tendrán más riesgo de convertirse en delincuentes aquellos jóvenes sobre los que se ejercen técnicas de disciplina muy estrictas, con castigos físicos y falta de razonamiento sobre las conductas equivocadas; con hostilidad mutua, falta de cohesión familiar, rechazo paterno, indiferencia y apatía y con padres que presentan aspiraciones mínimas para sus hijos.

Nuestra idea de educar

Los estudios realizados sobre la forma de educar de los padres muestran un continuo que va desde un extremo donde encontramos al *padre autocrático,* preocupado principalmente por imponer su idea y porque su hijo acate su disciplina. Este tipo de padre no proporciona un ambiente para que el adolescente vaya responsabilizándose, independizándose.

En el otro extremo encontramos al *«laissez-faire»* (*«dejad hacer»),* despreocupado, que deja un ancho margen de acción y decisión a su hijo. Tampoco éste proporciona el tipo de apoyo que necesitan los adolescentes y es frecuente encontrar en estas familias, adolescentes que tienen alto riesgo de consumir drogas y/o mantener otros tipos de conductas socialmente desviadas.

Finalmente entre estos dos extremos encontramos a los *padres moderadamente autoritarios,* que valoran la autonomía y la conducta disciplinada, que ejercen un control razonable sobre sus hijos, manifestándoles a la vez un alto apoyo paterno e interactuando afectivamente con éstos. El resultado de este tipo de educación parece ser un adolescente autoconfiado, con alta autoestima e independencia (Elder, 1963).

Rodrigo (1995) presentó una clasificación muy interesante sobre las metas que pretenden conseguir los padres en la conducta de sus hijos y las pautas de comportamiento que usan para ello. Es importante que usted conozca cómo le gustaría que fuese su hijo y cómo está intentando conseguirlo.

Al hablar de metas se refiere al conjunto de actitudes, valores y comportamientos que nos gustaría inculcar a nuestro hijo. En lo que se refiere a pautas de comportamiento, se pretende hacer alusión a las actuaciones, las estrategias que usamos para conseguir las metas.

Rodrigo y Ceballos (1994) encontraron una clara relación entre metas y pautas.
Así hallaron cuatro tipos de metas a conseguir en los hijos:

1. *Que fuesen sociables y responsables:* para ello se utilizan pautas restrictivas, estableciendo normas, limitando la toma de decisiones y premiando/castigando sus incorrecciones o bien utilizando prácticas inductivas (véase capítulo 5).
2. *Que fuesen autodirigidos:* para lo que despliegan unas pautas permisivas, sin restricciones ni normas en las relaciones de sus hijos con los iguales (otros jóvenes).
3. *Que estén amparados y seguros y no corran riesgos:* para ello restringen, limitan, las relaciones de sus hijos con los iguales.
4. *Que fuesen obedientes y conformistas con las normas:* para ello restringen la relación de sus hijos tanto con los iguales como con los adultos.

Deténgase. ¿Cuáles son las metas que tiene para la educación de su hijo? ¿Cuáles son las pautas que utiliza? ¿Son las mismas que las de su pareja? No siga leyendo hasta que no tenga claros estos puntos. Anote sus conclusiones en el siguiente recuadro.

Para verificar si sus ideas son acordes con su conducta, conteste al cuestionario de estilo y metas educativas que encontrará a continuación.

Cuestionario de estilo y metas educativas

1. Ante un fallo de un hijo, debemos hacerle reflexionar sobre sus consecuencias. V F

2. Cuando mi hijo comete un fallo, miro hacia otro lado y espero que él lo resuelva. V F

3. Los jóvenes son capaces de encontrar sus propias normas. V F

4. Los padres deben conocer a los amigos de su hijo. V F

5. Los hijos deben aceptar las normas que imponen los padres. V F

6. Debemos llegar a un acuerdo con los hijos en cuestión de horarios. V F

7. Cuando le niego a mi hijo un privilegio, le explico la razón. V F

8. Las amistades son la principal fuente de riesgos de los hijos. V F

9. Mi hijo debe ser responsable de sus actos. V F

10. Es importante que nuestros hijos sean sociables con los demás. V F

11. A menudo decido por mi hijo. V F

12. No soporto que mi hijo sea mal educado con los mayores. V F

13. Los hijos no tienen capacidad para decidir por ellos mismos. V F

14. Si mi hijo fuese sancionado por infringir el código de circulación:

   a) Sería él el responsable de asumir las consecuencias.
   b) Le prohibiría coger el vehículo en una temporada.
   c) Razonaría con él lo necesario de las normas.
   d) Le explicaría lo peligroso que es saltarse las normas.

15. Si un día de invierno veo que mi hijo intenta salir a la calle con una camiseta:

   a) Pienso que son ellos los que deben elegirla.
   b) Le explico que puede coger un resfriado si sale así.
   c) Le hago que se ponga una prenda de más abrigo.
   d) Le hago ver que será el responsable de coger un resfriado.

16. Ante la elección de una carrera u oficio:

    a) Discutimos sobre los pro y los contras de cada uno.
    b) Lo dejo en sus manos.
    c) Le informo de las que no tienen salida.
    d) Intento que elija la que creo mejor.

17. Los fallos que cometen los hijos:

    a) Deben ser sancionados por su bien.
    b) Son su problema.
    c) Les sirve para aprender sobre las consecuencias de sus actos.
    d) Deben de evitarse estando siempre atentos.

18. Lo que más me preocupa de los viajes de estudio es que:

    a) Pueden ocurrir accidentes o malas compañías.
    b) No me preocupa nada.
    c) Mi hijo no se porte correctamente o cometa un acto del que no se haga responsable.
    d) No estoy para que me haga caso.

Modo de corrección:

El cuestionario que usted acaba de contestar le dará una idea sobre la meta que desea conseguir en la educación de su hijo y que puede ser una de las cuatro explicadas previamente. Para saber cuál es su preocupación principal asigne un punto atendiendo a las siguientes instrucciones:

— Quiero conseguir que mi hijo sea sociable y responsable de sus actos:

1 V; 5 F; 6 V; 7 V; 9 V; 10 V; 12 V; 13 V; 14 C; 15 D; 16 A; 17 C; 18 C.

— Quiero que mi hijo se autodirija y sea independiente:

2 V; 3 V; 11 F; 13 F; 14 A; 15 A; 16 B; 17 B; 18 B.

— Quiero que mi hijo esté amparado y que no corra riesgos:

4 V; 3 V; 14 D; 15 B; 16 C; 17 D; 18 A.

— Quiero que mi hijo me obedezca y acepte las normas establecidas:

5 V; 6 F; 7 F; 11 V; 14 B; 15 C; 16 D; 17 A; 18 D.

Asignando un punto siguiendo las indicaciones anteriores obtendrá unas puntuaciones directas que convertirá en porcentajes mediante la tabla siguiente:

Puntuación directa	Porcentajes			
	Meta 1	Meta 2	Meta 3	Meta 4
1	7,6	11,1	14,2	11,1
2	15,4	22,2	28,5	22,2
3	23	33,3	43	33,3
4	30,7	44,4	57	44,4
5	38,4	55,5	71,4	55,5
6	46	66,6	85,7	66,6
7	53,8	77,7	100	77,7
8	61,5	88,8		88,8
9	69	100		100
10	77			
11	84,6			
12	92			
13	100			

Pongamos un ejemplo:

Imagine que ha contestado al cuestionario de la siguiente forma:

1 V, 2 F, 3 F, 4 V, 5 V, 6 V, 7 V, 8 V, 9 V, 10 V, 11 F, 12 V, 13 F, 14 D, 15 D, 16 A, 17 C, 18 C.

Siguiendo las normas de corrección obtendríamos:

Meta 1:   10 puntos.
Meta 2:   2 puntos.
Meta 3:   2 puntos.
Meta 4:   1 punto.

Lo que traducido a porcentajes se traduce en:

Meta 1:   77,0 por 100
Meta 2:   22,2 por 100
Meta 3:   28,5 por 100
Meta 4:   11,1 por 100

Podríamos decir que su mayor preocupación es enseñar a su hijo a ser sociable y responsable de sus actos (el 77 por 100 de sus actuaciones se dirigen en este sentido).

3

Dejemos las cosas claras.
El registro de nuestras observaciones.

Dejemos las cosas claras

Cuando alguien llega a la consulta de un psicólogo, lo primero que se le pide es que cuente su problema, que explique el motivo de su visita.

Cuando esta visita es de unos padres, suelen darse explicaciones como «mi hijo se porta mal», «no hay quien pueda con él», «es desobediente», etc.

Una primera tarea será operativizar el problema, es decir, definir de forma concreta el problema.

Ejercicio: Defina el/los problemas que presenta su hijo intentando contestar: ¿qué ocurre?, ¿cuándo?, ¿con quién?, ¿cuánto?, y ¿cómo?

Quizás le sea útil recordar qué ocurrió la última vez que sucedió el problema. Tenga presente que si define incorrectamente el problema, se elegirá mal la solución. A continuación se presentan algunos ejemplos.

Un joven de 15 años acudió a consulta porque creía ser homosexual, pues se excitaba con los cuerpos desnudos de sus compañeros. Su problema (según él) era ser homosexual y la ayuda se dirigía a que se aceptase como tal. Después de varias sesiones descubrimos que en realidad su problema era no saber si era homosexual o heterosexual. Por tanto, no se trataba de que se aceptase, sino de que descubriese su verdadera identidad sexual.

Una joven de 20 años hablaba de lo mal que se sentía cuando su novio la despreciaba diciéndole que era muy inmadura. Cuando se le preguntó cuál era el problema dijo «tener un novio que no la valoraba». En el transcurso de la resolución del problema se le anotó la posibilidad de buscar una nueva relación, a lo que se negó aduciendo que ella quería a su novio, entonces leyó la definición que había anotado del problema y la rectificó: no era tener un novio que no la valorara (lo que permitía pensar en cambiar de pareja), sino que su novio no la valorara (lo que se solucionaba cambiando la actitud de su novio). Más tarde, reconoció que, en parte, su novio podría tener razón.

Analice un poco más su demanda. Durante los próximos días confeccione un registro sobre la/s conducta/s problemática/s. Para ello lea el siguiente apartado sobre la forma de observar y cuantificar la conducta.

El registro de nuestras observaciones

Previamente a cualquier intervención que queramos hacer para que cambie la conducta de su hijo, será necesario cuantificar el estado actual, es decir contar el número o la duración que tiene ahora (lo que los psicólogos llamamos obtener la *línea base*). Esto nos servirá para que algún tiempo después, cuando hayamos puesto en práctica nuestra intervención, volvamos a medir la conducta observada en la línea base y distingamos si se han producido los cambios que deseábamos.

Existen diferentes tipos de registro cuya elección dependerá de las características de la conducta que queramos observar:

— Si queremos registrar una conducta con un inicio y un final claramente identificable y que no se dé muy a menudo como gritar, llegar tarde por la noche, no ir a comer, no recoger su cuarto, mañanas que se despierta mojado... lo más conveniente es que utilicemos un *registro de frecuencia* en el que quede anotado el número de veces que ocurre la conducta en un intervalo de tiempo.

Para ello puede elaborar un registro con dos ejes, uno para la unidad temporal (por ejemplo, los días) y otro para las veces que se presenta la conducta:

Ejemplo 1:

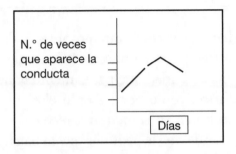

También podemos elaborar un registro como el del ejemplo 2 en el que se anota con una señal (por ejemplo «X») cada vez que aparece la conducta.

Ejemplo 2:

	Día 1	Día 2	Día 3	...	...	...
Conducta	XX	XXXX	X	XXX		

— Si queremos observar conductas que pueden durar más o menos de forma continua (estar viendo la televisión, estudiar, permanecer sentado, etc.) utilizaremos un *registro de duración,* en el que se anota el tiempo que dura la conducta a lo largo del periodo de observación que establecemos.

Ejemplo 3:

Minutos	1	2	3	4	5	6	7	8	9	...	...
Conducta	X	X			X	X	X	X			X

Ejemplo 4:

	Día 1	Día 2	Día 3	...	...	...
Duración	2 h	2:30 h	1:30 h	...		

— Por último, a veces, estaremos interesados en conocer cuánto tiempo tarda nuestro hijo en comenzar a realizar una actividad que previamente le hemos pedido que realice, como por ejemplo el tiempo que tarda nuestro hijo/a en comenzar a recoger las cosas de su cuarto desde que le pedimos que lo haga. A este tiempo le llamamos latencia y como es lógico, usaremos un *registro de latencia* para registrarla.

Ejemplo 5:

Situación	1.ª	2.ª	3.ª	...	...
Latencia	10 min	7 min	12 min	9 min	

Sea cual sea el registro elegido, lo primero que haremos es determinar el tiempo durante el que vamos a realizar la observación (un día, una semana...) y, en ocasiones, también será preciso determinar la forma temporal (durante todo el día, cada hora, en un intervalo establecido...).

Existen otros tipos de registro, pero por ahora con éstos podemos empezar. Para ello siga los pasos siguientes:

1) Defina operativamente la conducta a tratar.

2) Decida qué registro va a utilizar y confecciónelo.

De frecuencia ☐   De latencia ☐   De duración ☐

3) Elija el periodo durante el que va a observar:

4) Elija el modo temporal: ☐ Continuo.
                               ☐ Cada ___ min, y durante ___ min

5) Confeccione el registro.

Y comenzamos **47**

PÓNGALO EN PRÁCTICA

Cuando acabe el registro estará preparado para saber algo más sobre el porqué y el cómo de la conducta de su hijo. Para ello su siguiente tarea será realizar un análisis funcional. ¿Que qué es eso? Se trata de preguntarse por todo aquello que provoca, mantiene o impide una conducta. Se trata de saber por qué, bajo qué circunstancias y con qué consecuencias se produce la conducta del joven.

Para ello realice un *diagrama de flujo* semejante al que aparece a continuación para cada una de las conductas que usted estima que son problemáticas. Tenga presente que pueden estar relacionadas o ser una la causa de las otras (por ejemplo el consumo de droga, puede ser causa de llegar tarde de noche o de cometer pequeños hurtos en casa). Es interesante que este ejercicio lo realicen los dos padres por separado y luego comparen sus resultados.

Este análisis nos permitirá conocer cómo y sobre qué factores podemos actuar. El análisis funcional es un proceso dinámico que puede ir variando conforme avanzamos en el conocimiento del problema.

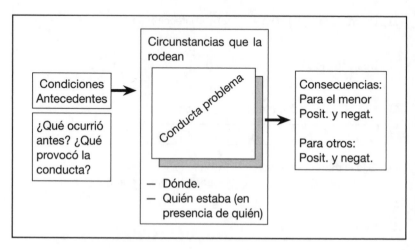

PÓNGALO EN PRÁCTICA

Veamos algunos ejemplos:

Caso 1. Un joven de 17 años acudió con sus padres a la consulta. El motivo de la misma era que los padres «ya no sabemos qué hacer con él: ha empeorado su conducta, llega tarde por las noches, contesta de forma despectiva y hace unos días, lo sorprendimos fumándose un porro». El menor (al que llamaremos Pedro) es el segundo de cuatro hermanos. Según su madre «es el único que nos da problemas, la mayor, por ejemplo, es una estudiante buenísima...». «Y eso —añade el padre— que he intentado dejarlo que vaya a su ritmo.» Preguntando por el historial de refuerzos y castigos se descubre que en las pocas ocasiones en que Pedro ha obtenido buenas calificaciones, el hecho ha pasado desapercibido, mientras que cuando trae malas calificaciones, se produce una discusión y su padre se pasa una temporada (un par de semanas) sentándose por las tardes junto a su hijo para hacer los ejercicios escolares. Pedro confiesa que falta con frecuencia a clase, permaneciendo en los alrededores del colegio, juntándose con un grupo de chicos algo mayores que son con los que fuma porros...

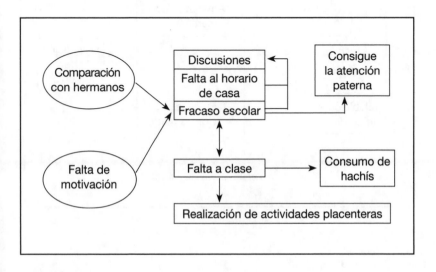

Caso 2. Vanesa es una adolescente de 16 años preocupada de su físico y que discute con sus padres por el horario que le exige su padre y porque quiere una motocicleta. Está en temporada de exámenes y la madre le ha prohibido que salga este fin de semana de casa y se quede estudiando. Para «mejorar su concentración» le ha retirado las revistas de moda y el disc-man, lo que ha provocado una aireada discusión en la que la joven ha amenazado con irse de casa. Después de unas horas, la madre, que acusa a su marido de no apoyarla, le devolvió las revistas y el disc-man, expresando su impotencia. Vanesa, una vez más, ha prometido mejorar su comportamiento, aunque la madre no tiene muchas esperanzas.

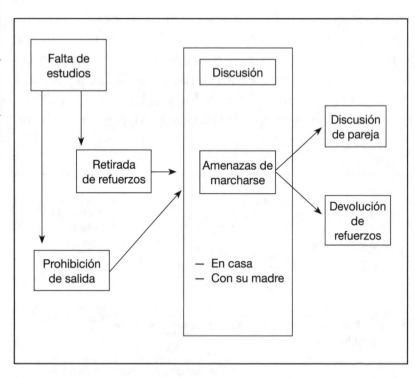

Ejercicio: diseñe el análisis funcional de la conducta problema de su hijo.

El conocimiento mutuo

Resolviendo problemas.

Ejercicio:

Este capítulo comienza con una tarea para que usted realice durante los próximos 7 días. Su tarea consistirá en anotar en el siguiente registro los minutos que a diario pasa con su hijo. Esto es, el tiempo que durante el día coinciden en un mismo lugar (casa, trabajo, excursión, etc.). No cuente las horas en las que uno de los dos está dormido. En un segundo apartado anotará los minutos que interactúan: charlando, discutiendo, comiendo juntos, realizando alguna actividad conjunta, jugando, etc.

Observe también cuánto tiempo le lleva en total estas interacciones. ¿Cree usted que es suficiente? Ahora deténgase en la calidad de sus encuentros. ¿Son satisfactorios, enriquecedores?

Cuantificación de las interacciones diarias

	Lun.	Mar.	Mié.	Jue.	Vie.	Sáb.	Dom.
Minutos que coinciden en un mismo espacio							
Minutos de interacción (charla, discusión, juego, deporte, manualidad...)							

Una semana después:

Escriba en el siguiente recuadro qué conclusiones ha obtenido del ejercicio anterior:

En cierta ocasión, se le pidió a un joven paciente, que había acudido a consulta por agredir a su padre, que realizara este ejercicio. Cuando volvió a la semana siguiente con el registro y se le preguntó por los resultados, se le escaparon unas lágrimas. La media de tiempo de interacción no llegaba a los 200 minutos diarios y durante los mismos apenas hablaban.

A continuación le proponemos otra tarea: el objetivo de la misma es saber si usted y su hijo se conocen lo suficiente. En muchas ocasiones, es este desconocimiento el que provoca las diferencias y los problemas entre hijos y padres. Un estudio realizado por McGurk (1989) sobre los conflictos que aparecen entre padres e hijos y su relación con el conocimiento mutuo, mostró que estos conflictos aparecen por temas cotidianos y que son más numerosos cuando la comunicación entre ambos es deficiente y se tiene una representación errónea de la perspectiva del otro, de lo que piensa, de sus aficiones, sus planes de futuro, sus preocupaciones...

Por ello es importante que completen (usted y su hijo) el siguiente cuestionario. Una vez acabado, siéntese con su hijo y comparen los cuestionarios, sean abiertos y comprensivos el uno con el otro.

Este ejercicio le permitirá conocer las esferas de conflicto entre ustedes y les obligará a fijarse más en las preferencias del otro. Es importante que intercambien los registros y observen las diferencias.

1. Anote las preferencias respecto a:

	Propias:	De la otra persona:
Televisión		
Tipo de lectura		
Deporte		
Comida		
Tipo de música		
Ocio		

2. Anote en la primera fila el número de conflictos diarios y en las restantes filas el número de los conflictos a las causas indicadas:

	Lun.	Mar.	Mié.	Jue.	Vie.	Sáb.	Dom.
Conflictos							
Televisión							
Ayuda doméstica							
Tarea escolar							
Indumentaria							
Amistades							
Otros							

Cuestionario de conocimiento mutuo

Una semana después:

Escriba en el siguiente recuadro qué conclusiones ha descubierto con el ejercicio anterior:

Si algo es importante en la educación de los hijos, es conocerlos y que ellos conozcan a sus padres. Desgraciadamente la sociedad en la que vivimos nos roba una gran parte del tiempo que deberíamos usar para hablar entre los miembros familiares; tiempo que empleamos en el trabajo, el desplazamiento, la televisión, etc.

Se ha dejado de contar cuentos a los más pequeños o trasmitir las historias de nuestros antepasados (es sorprendente como muchos niños apenas conocen la vida de sus abuelos), las sobremesas son fugaces o individuales, llegamos muy cansados del trabajo o el hijo debe de hacer los deberes de clase..., hay miles de excusas para no sentarse y dialogar, empezando por escuchar.

Muchos padres, que gracias a sus esfuerzos y trabajo han conseguido una posición económica elevada, llegan a consulta afirmando que quieren darle a sus hijos todo lo que ellos no tuvieron; se refieren, claro está, a adquisiciones materiales. Estos padres se olvidan o no tienen tiempo para darle a sus hijos lo que ellos quizás sí tuvieron: disponibilidad paterna, un juguete casero fabricado entre padre e hijo... Maciá (1994) advierte que dando todo tipo de bienes materiales los hijos se convierten en personas déspotas, insatisfechas e incapaces de hacer nada por sí mismas.

Para finalizar este capítulo le sugerimos un último ejercicio que debe de hacer sólo si se promete ser verdaderamente sincero con usted mismo. Se trata de un ejercicio que Michael Mahoney recomienda realizar cuando existen problemas de relación, como puede ser su caso.

El ejercicio, que se denomina «las cartas que no he enviado», consiste en escribir tres cartas; la primera va dirigida a su hijo y en ella le dice todo aquello que le está causando el problema así como sus sentimientos. Como esta carta nunca será recibida por el destinatario (a no ser que usted decida lo contrario) escríbala sin miedo a hacerle daño, a dañar los sentimientos.

La segunda carta debe redactarla imaginando que es la respuesta que recibe a la anterior misiva.

Por último, la tercera carta consiste en otra similar a la anterior, pero escrita con humanidad, con amor, partiendo de la idea de que su hijo sigue siendo una persona que lo aprecia.

Una vez escritas las tres cartas, cosa que debe hacer sin prisa, tomándose los días que precise, reléalas y aprenda de ellas. El resultado dependerá de lo que usted esté dispuesto a admitir.

Quizás el problema está en que a veces usted no escucha los mensajes que le envían sus hijos y que más que una conversación son una petición de ayuda. Conocer sus preocupaciones y aspiraciones y que sepan las suyas, detectar cuándo lo están pasando mal y trasmitirles cuándo le ocurre a usted es el principio de una educación donde se es tan valiente como para abrirse mutuamente.

Resolviendo problemas

Ya vimos en los primeros capítulos que era de suma importancia descubrir el verdadero problema y definirlo clara y operativamente.

En muchas ocasiones, no somos capaces de resolver los problemas que tenemos, no porque no estemos preparados, sino porque no terminamos de verlos o porque los definimos con precipitación, sin tener toda la información. Ése es el primer paso para resolver el problema. Como ya ha llegado hasta aquí se supone que lo anterior está conseguido. Si es así, vaya a buscar la página donde anotó cuál era el problema.

A continuación tendrá que realizar los siguientes pasos (D'Zurilla y Goldfried, 1971):

1. Generación de alternativas:
   Siéntese y escriba todas aquellas soluciones que se le ocurran por difíciles, absurdas o irrealizables que le parezcan. No entre en criticarse o censurar estas estrategias, ya habrá tiempo para ello. Lo importante es «estrujar la naranja», obtener una cantidad importante de soluciones.
2. Decidirse por una o algunas de las soluciones:
   Cuando crea que ya ha enumerado todas las soluciones que es capaz de obtener, será el momento de analizarlas y elegir la/s más idónea/s. Para ello quizás le sea práctico colocar todas las alternativas y clasificarlas según dos criterios:

   — ¿Qué posibilidad tengo de poner en práctica esta alternativa? (probable/desconocido/improbable).
   — ¿Qué consecuencias tendrá la puesta en práctica de esta solución? (muy deseable/indiferente/indeseable).

	Posibilidades	Consecuencias
Alternativas 1		
Alternativas 2		
.....		

   Otra técnica para decidir la solución es anotar los «pros» y los «contras» de cada una de ellas.
3. Puesta en práctica y verificación:
   El último paso es el más trabajoso, se trata de llevar a cabo la solución que ha decidido utilizar y observar si consigue, tras un tiempo prudencial, los resultados perseguidos.

Resumiendo:

Los pasos para resolver un problema son:

---

1. Definir de forma clara y cuantificable el problema:

   - Confeccionar y rellenar un registro de observación.
   - Hacer un análisis funcional.
   - Definir el/los problema/s.

2. Generar las alternativas.

   - Sin críticas. Todas valen (por el momento).

3. Decidir la alternativa a utilizar.

   - Método de probabilidad y consecuencias.
   - Método de los pros y los contras.

4. Poner en práctica la técnica.

5. Verificar su idoneidad.

¿Le ha quedado claro? Es el momento de recordar la definición que formuló en el capítulo 3 y resolver el problema.

5

Modificando la conducta de nuestro hijo

Conceptos básicos en la modificación de la conducta.
Refuerzos.
Castigos.
La disciplina inductiva o razonada.

Entre los principios de los que parte este manual, se encuentra el que la conducta es aprendida, adquirida por la experiencia, por la imitación o por el refuerzo o el castigo. No descartamos el factor genético. «Es como (colóquese el calificativo que se desee) su padre...» suele oírse, o el famoso refrán «Bendita la rama que al árbol se parece». Si bien la controversia entre aprendizaje o genética sigue en pie, creemos que es el momento de inclinarse por una opción interaccionista que dé cabida a la influencia genética y a la del ambiente.

Así las cosas, el factor genético se entendería como una tendencia, modificable por el aprendizaje del sujeto.

Conceptos básicos en la modificación de la conducta

A lo largo de este capítulo (y en algún otro) encontrará términos del ámbito de la psicología que quizás sea la primera vez que oye o que, si bien ya conoce, el significado con el que se ha utilizado es diferente al que aquí entendemos. Por ello, es importante que antes de comenzar a poner en práctica las tácticas para cambiar la conducta de su hijo conozca de qué estamos hablando.

La mayoría de los términos que se presentan provienen de la modificación de conducta, que no es más que la terapia que utiliza los principios del conductismo, escuela que tiene como base que todas las conductas son aprendidas mediante su refuerzo o su castigo, es decir que se vuelven a dar o dejamos de presentarlas según sean sus consecuencias. Si aceptamos este principio, tendremos que aceptar igualmente que podemos modificar cualquier conducta (ello no quiere decir que sea fácil).

La modificación de conducta acepta dos mecanismos de aprendizaje a los que denomina condicionamiento clásico (C.C.) y condicionamiento operante (C.O.).

— El condicionamiento clásico:
Imaginemos que un estímulo o acontecimiento ambiental (al que denominamos estímulo neutro) que no nos produce ninguna reacción emocional, se presenta en varias ocasiones a la vez o seguido de otro estímulo (al que llamamos estímulo incondicionado) que nos produce una respuesta emocional (por ejemplo, miedo, pena...), suele ocurrir que el primer estímulo (el neutro) termina produciéndonos una respuesta similar a la del segundo estímulo (convirtiéndose en un estímulo condicionado). Con un ejemplo lo veremos mejor:
Si su hijo cada vez que acude al instituto (estímulo neutro) recibe las amenazas de un grupo de «compañeros» (estímulo incondicionado), terminará «cogiéndole» miedo al instituto.
Como puede ver muchos de los miedos se adquieren mediante este mecanismo.
En este tipo de aprendizaje puede darse la generalización del estímulo, mediante el cual ya no sólo nuestro estímulo condicionado adquiere la respuesta del estímulo incondicionado, sino que ésta se amplía a aquellos ambientes (estímulos) parecidos. En el ejem-

plo anterior, el joven no sólo le temería a su instituto, sino a cualquier otro instituto, la facultad, o incluso ambientes con grupos de jóvenes.

— El condicionamiento operante:
Este mecanismo se produce cuando una persona realiza con más frecuencia o deja de realizar una conducta debido a la consecuencia que conlleva dicha conducta.

Si la conducta tiende a repetirse, se dice que su consecuencia es reforzante (que es un refuerzo); mientras que si la conducta disminuye o desaparece, entonces nos encontramos ante un castigo.

Cuando pensamos en un refuerzo o en un castigo se nos vienen ejemplos claros que «suelen» actuar como tales (por ejemplo, un caramelo, un ascenso en el trabajo o un abrazo, suelen tomarse como refuerzos; mientras que un «cachete» suele ser un castigo), sin embargo, debe quedar claro que «nada» es un refuerzo o un castigo a priori, la función que cumple un estímulo dependerá de que consiga que la conducta aumente o disminuya (para un niño al que no le gusten los dulces, un caramelo no es un refuerzo; para una persona que no se siente capacitada, un ascenso no es un refuerzo; para un niño con síntomas autistas, un abrazo quizás no sea un refuerzo; para una persona «masoquista», un cachete no es un castigo).

Refuerzos

El *refuerzo* puede definirse como una consecuencia de la conducta que provoca el aumento en la probabilidad de que vuelva a ocurrir esta conducta.

Distinguiremos dos tipos de refuerzo, es decir, de consecuencias que hacen aparecer o incrementar una conducta:

a) *El refuerzo positivo,* que es la aparición de algo grato para el sujeto que provoca el aumento de la conducta deseada. Por ejemplo: darle un caramelo, un abrazo, contarle un cuento, animarlo...

Ejemplo: Un joven estudia y consigue buenas notas y el elogio de sus padres, el próximo trimestre estudia más.
Conducta: Estudiar.
Refuerzo: Buenas calificaciones y elogio paterno.
Consecuencia: Aumento de su esfuerzo en los estudios.

Los refuerzos positivos se clasifican a su vez entre los siguientes tipos (Larroy y de la Puente, 1995):

— Materiales o tangibles (como los dulces, el dinero, regalos, etc.).
— De actividad (como una excursión, ir al cine, etc.).
— Sociales (como la sonrisa, la alabanza, el reconocimiento, el abrazo, etc.).
— Cambiables (las fichas o puntos).

Todos ellos presentan sus ventajas y sus inconvenientes: los refuerzos materiales y los de actividad son muy potentes, pero producen saciedad. En lo que sí se debe insistir es que todo refuerzo debe ir acompañado de un refuerzo social, que finalmente será suficiente.

b) *El refuerzo negativo,* que consiste en la desaparición de un estímulo aversivo (doloroso o ingrato) cuando aparece la conducta apropiada (escape) o mientras dura ésta (evitación).

Ejemplo: Un joven al que se le prohíbe salir de su habitación hasta que no recoja la ropa que deja por medio, tenderá a ordenar sus cosas para evitar esta situación que no le gusta.

Conducta: Recoger la ropa.

Refuerzo negativo: Evitar o escapar de su habitación.

Consecuencia: Repetir la conducta de ordenar la habitación.

Por qué fallan los refuerzos

En muchas ocasiones, cuando se pide a los padres que utilicen los refuerzos (al igual que los castigos) responden con un «... eso ya lo hemos intentado y no ha servido para nada». Esto puede deberse a que fijan objetivos muy difíciles de alcanzar en un breve tiempo.

En otras ocasiones el problema es que han dado por sentado que lo que le ofrecen a su hijo debe reforzarle, cuando en realidad no es así (*«si a mí me hubiesen ofrecido eso cuando tenía tu edad...»*).

Otro problema muy común es el desacuerdo entre padres; mientras uno refuerza una conducta, el otro la castiga o la ignora. El acuerdo entre padres debe ser previo e imprescindible a cualquier aplicación de un programa de modificación de conducta.

Aparte de estas matizaciones, la aplicación del refuerzo debe seguir unas normas en su administración.

a) El refuerzo debe darse a continuación de la presentación de la conducta. A esto se le llama *contingencia*, es decir, primero debe darse la conducta deseada y después el premio (o acaso a usted le pagan por anticipado su trabajo). Este aspecto, que puede parecer de perogrullo, es uno de los fallos que se suelen dar en la aplicación del refuerzo:

En cierta ocasión tratamos los problemas escolares de un adolescente. En las primeras sesiones padre e hijo pactaron un contrato conductual en el que el padre se comprometía a comprarle la «moto» si aprobaba el siguiente trimestre. Pocas sesiones después, el padre se quejaba de que su hijo no se sentaba a estudiar... «y eso que le he comprado ya la moto para que no se queje...».

b) El refuerzo debe darse lo antes posible una vez que se ha presentado la conducta que queremos fomentar. Sería inapropiado proporcionarle al menor el refuerzo tan distanciado de la conducta a reforzar que el joven no relacionara la conducta que había hecho con el refuerzo.

Un padre se quejaba de que le había prometido a su hijo un viaje a Inglaterra (lo que su hijo deseaba desde hacía años) si aprobaba el curso y, sin embargo, el joven no había estudiado nada durante el primer trimestre. Le propusimos que buscara refuerzos, quizás menos potentes, pero más fáciles y rápidos de conseguir.

Además si la promesa es a largo plazo el menor pierde su motivación, más cuando los adolescentes suelen tener baja tolerancia al aplazamiento de las recompensas. Por ello, al principio debe darse de forma continua, es decir, cada vez que la conducta tenga lugar (a esto se le llama *programa de refuerzo continuo*); pasando más tarde a darlo de forma intermitente (*programa de refuerzo parcial, intermitente o variable*).

c) Otra regla que no hay que olvidar es que debe dejarle claro a su hijo la conducta por la que le está dando el refuerzo, es decir qué es lo que le ha gustado de su conducta.

d) Por último hay que procurar no reforzar las conductas inapropiadas (por ejemplo atendiéndolas). Es el caso de los hijos con los que apenas se habla a no ser que saquen malas notas, lleguen tarde o tengan malas compañías.

Cómo elegir el refuerzo apropiado: el principio de Premack

Quizás a lo largo de la lectura de estas nociones se haya preguntado cómo elegir un estímulo, una actividad, que sea reforzante para su hijo. En parte esta pregunta la responderá basándose en su propia experiencia, pero para ser más precisos puede seguir el principio de Premack que dice que las conductas que un sujeto realiza de forma voluntaria, pueden utilizarse como reforzadores.

Si observa que la actividad preferida que hace su hijo es jugar con los videojuegos, puede utilizar esta actividad haciéndola depender de que primero acabe los deberes. Una recomendación: cambiemos la frase *«no puedes jugar con la videoconsola hasta que no acabes los deberes»*, por esta otra más positiva, *«cuando acabes los deberes, puedes jugar con la videoconsola»*.

Algunos padres en este punto tendrán en la cabeza la pregunta «¿y si a mi hijo le da igual que lo deje sin premios o que lo premie con lo que sea? Efectivamente, en nuestros días parece haber una saciedad de premios, una desidia. Esto no debe frenar nuestra búsqueda de refuerzos. Quizás sea más fácil de lo que podemos pensar, quizás sólo sea necesario utilizar refuerzos sociales, «utilizarnos» como refuerzos y dejar los refuerzos materiales.

Castigos

Cuando queremos que desaparezca o disminuya una conducta, contamos con el castigo. Éste puede consistir en una consecuencia aversiva (castigo positivo), como un cachete, o puede consistir en la retirada o pérdida de una consecuencia positiva (omisión), como la pérdida de la paga semanal o dejar de ver la televisión porque su hijo esté gritando. El problema del castigo, método que no debemos de olvidar aunque sea impopular, es que enseña al niño lo que no queremos que haga, pero no le muestra lo que queremos de él, por lo que debe ir siempre acompañado del refuerzo de la conducta que perseguimos.

Por qué fallan los castigos

De forma similar a lo que se apuntaba respecto al refuerzo, podemos anotar algunos aspectos que pueden disminuir la eficacia de la aplicación del castigo.

A veces podrá ocurrir que apliquemos un estímulo que no tiene el valor de castigo para el joven (por ejemplo, dejarlo en su habitación en la que cuenta con aparato musical, videoconsola, teléfono móvil, etc.).

Con más énfasis que en el refuerzo, el castigo debe ser inmediato a la aparición de la conducta inapropiada. En muchas ocasiones se «aplaza» el castigo hasta la llegada del cónyuge («cuando venga tu padre te vas a enterar...»).

Debe ser intenso y breve, la amenaza del castigo o la repetición continua del mismo provocan una pérdida gradual de eficacia.

También debe ser aplicado siempre que aparezca la conducta inadecuada, sea cual sea nuestro estado de ánimo.

Además una vez que hemos decidido aplicarlo, debemos ser firmes y no caer en chantajes, ni promesas. En una ocasión hablando con una madre sobre las medidas que iba a tomar si su hija no recogía su cuarto y cuando llegamos a la posibilidad de retirarle estímulos que reforzaban a su hija (aparato de música, revistas de moda, etc.), la madre se negó aduciendo que su hija le había amenazado con escaparse de casa «como las niñas que habían salido en el "Quién sabe dónde"». Este miedo, es un muro que deberá derribar si no quiere tener un joven dictador en su casa.

Resumiendo, con la conducta que exhibe su hijo, puede querer dos tipos de cambios:

1. Que aparezcan, se mantengan o se incrementen las conductas adecuadas o
2. Que disminuyan o desaparezcan las conductas inapropiadas.

Por tanto, *refuerzo y castigo* se presentan como procedimientos imprescindibles para el aprendizaje humano. Pero en el caso de los hijos adolescentes, sobre todo si queremos utilizar una *disciplina inductiva* (véase en este mismo capítulo), será más importante el aprendizaje social, también llamado vicario, modelado o por imitación (Bandura, 1969). Tenemos dos herramientas para educar: la comunicación (de la que hablaremos en otro tema) y nuestra conducta. El adolescente, al igual que todo aquel que conviva con otras personas, aprende la mayoría de las conductas observando las consecuencias que tienen para otros. Además los hijos se fijarán en los padres como modelo social, no ya pensando en aprender las consecuencias que para los padres tienen las diferentes conductas, sino para ver la coherencia entre lo que predican y lo que son capaces de hacer. Será infructuoso el intento de inculcar cualquier principio ético que no seamos capaces de seguir nosotros mismos. Quizás por ello, y desafortunadamente, los estudios sobre los padres maltratadores y los hijos maltratados demuestran la existencia de una transmisión generacional, mostrando un gran riesgo de convertirse los hijos maltratados en padres maltratadores.

Llegado este punto debemos anotar, aunque sea objeto de un manual con otras metas, la tendencia que se está experimentando en invertir el modelado respecto a modelo-imitador. Esta exagerada atracción por lo juvenil, que ha dado la figura del ejecutivo agresivo, el joven actor o deportista multimillonario, ha provocado una inversión de papeles pasando de una sociedad donde el joven era aprendiz y copiaba al maestro, un adulto, a la sociedad actual donde envejecer es tabú, donde se intenta copiar todo lo relacionado con la juventud, donde los padres intentan imitar a sus hijos, adoptan la jerga, la ropa y las aficiones de los hijos llegando, en ocasiones, a casos esperpénticos.

Ejercicio: ¿Conoce usted qué tipo de refuerzo es el apropiado para su hijo? ¿Qué castigos usa para eliminar la conducta inadecuada? ¿Refuerza a veces conductas inadecuadas? Para facilitarle la contestación de estas preguntas rellene el siguiente cuestionario.

**Pequeño cuestionario sobre los refuerzos
y castigos efectivos**

¿Qué hace para que los comportamientos «buenos» de su hijo/a se mantengan y aumenten?

Diga las cosas que más le gustan a su hijo/a, por orden de preferencia (juegos, juguetes, aficiones, comidas).

¿Qué premios son los más efectivos para su hijo/a?

¿Qué hace para que los comportamientos «malos» de su hijo/a desaparezcan?

Diga las cosas que no le gustan a su hijo/a. Ordénelas.

¿Qué castigos son más efectivos para su hijo/a?

Diga qué hace su hijo/a cuando quiere algo que usted le ha negado.

¿Premia a su hijo cuando éste realiza una conducta apropiada?

¿Promete recompensas a largo plazo (meses)?

¿Promete recompensas que no cumple?

Cuando castiga a su hijo ¿éste sigue ofreciendo la conducta negativa? ¿Qué cree que gana su hijo con ello? (intente no contestar «fastidiarme»).

¿A veces da la recompensa antes de que su hijo cumpla lo acordado?

> ¿Hay acuerdo entre usted y su pareja a la hora de premiar? ¿Y de castigar?
>
> ¿Utiliza el castigo como último recurso?
>
> Una vez que se decide por un castigo ¿lo cumple o cede ante las presiones o promesas de su hijo?

La disciplina inductiva o razonada

Se trata de un aprendizaje o aceptación de las normas por convencimiento. El sistema refuerzo/castigo es necesario y efectivo, pero no suficiente. A medida que el niño crece debe aceptar las normas no por miedo a una sanción o en espera de un premio, sino porque lleguemos a convencerlo con nuestras explicaciones o, como dice López (1995a, p. 37), la forma de inculcar disciplina «debe ir enriqueciéndose con razonamientos de los padres que expliquen por qué se acepta una petición y, sobre todo, por qué es rechazada una demanda o es exigida una determinada conducta». Este mismo autor (López, 1995b) puntualiza que esta forma de disciplina se diferencia de otros dos tipos inadecuados: la *forma autoritaria* («porque lo digo yo») y la *negligencia* («haz lo que quieras, con tal de que me dejes tranquilo»). Extremos que, por desgracia, parecen ser los modelos a los que más se acude de forma alternativa en una sociedad a lo largo de su historia.

La disciplina inductiva se entiende por tanto como una forma de acuerdo de normas en la que se reconoce una situación asimétrica entre la autoridad (padre) y el que obedece (hijo), que se caracteriza porque las normas se basan en el razonamiento, en la explicación por parte de la autoridad de los beneficios que obtiene el que obedece al cumplirlas. Durante este proceso, el que obedece tiene derecho a ser escuchado, estando la autoridad dispuesta a cambiar su criterio si el otro (su hijo) le convenciera. Finalmente, el que obedece sabe que de no haber consenso, será la decisión del padre la que primará, exigiendo éste el cumplimiento de la norma. Esto debe quedar siempre claro para usted y para su hijo. Como se ha mencionado antes, la relación es asimétrica. El padre presentará todos los argumentos para que su hijo comprenda y acepte las medidas propuestas e incluso cederá si en el transcurso del diálogo su hijo le presenta argumentos que le convencen, pero en último extremo, en caso de que no haya acuerdo, su hijo debe saber que la decisión paterna prevalece, ya que ésa es una de las funciones de ser padres.

Como puede verse, es una manera de educar democrática y llena de beneficios para todos. El único inconveniente es que no puede imponerse de la noche a la mañana, como reza un dicho de Dagobert D. Runes: «Si domas un caballo por medio de gritos, no esperes que te obedezca cuando hables». La disciplina inductiva es un método que debe ser suplementario del método de refuerzo/castigo, de forma que a medida que el niño crece se vaya usando cada vez más la disciplina inductiva y se vaya eliminando el método de refuerzo/castigo. El resultado es algo que cualquier padre estaría dispuesto a firmar: un hijo socializado, autónomo y responsable, dispuesto a escuchar y con habilidad para que lo escuchen.

Para conseguir utilizar de forma efectiva la disciplina inductiva, los padres deben contar con una serie de aptitudes y de actitudes; deben ser capaces de reconocer sus errores y ceder en esos casos (véase el capítulo siguiente sobre habilidades de comunicación); deben ser capaces de limitar las peticiones a su hijo a aquellas que puede razonar; deben tener la habilidad de encontrar argumentos para sus peticiones; deben ser constantes, etc.

Una forma de empezar a aplicar este sistema es realizar una «reunión familiar» en la que se proponga un asunto que concierna a la familia y se pida opinión a los hijos. Es interesante que antes lea y trabaje las habilidades de comunicación que proponemos en el tema siguiente.

Muy relacionadas con esta técnica, se encuentran las consecuencias naturales (Dinkmayer y MacKay, 1976) las cuales sugieren que, siempre que sea posible, dejemos que el joven reciba las consecuencias lógicas de su conducta y no castigos artificiales impuestos por nosotros. Así, si el joven llega de madrugada, no se le castigará con no salir al día siguiente, pero tendrá que levantarse a la misma hora que el resto de la familia y ayudar en las tareas de casa; si el joven es multado por cometer una infracción con la motocicleta, no se le castigará retirándole el vehículo, sino que tendrá que ser él quien pague la multa; si el menor llega tarde a cenar, no se le dará una reprimenda, pero será él quien tendrá que hacerse la cena, calentarse el plato o tomarlo frío.

Como es lógico habrá ocasiones en las que esto no sea posible, como en el caso de que la conducta del joven sea peligrosa, ocasión en la que tendremos que tomar una decisión y explicarle el porqué de la misma.

La ventaja de esta técnica es que nuestro hijo se acostumbrará a ser responsable de sus actos y aprenderá a reflexionar sobre las consecuencias de su conducta.

Muchos padres basan la educación de sus hijos exclusivamente en un sistema de refuerzo-castigo, lo que les da unos buenos resultados a corto plazo, pues en la niñez, el padre es una figura reforzante en sí misma (el menor elogiado saca buenas notas). Sin embargo, si no utilizamos conjuntamente una disciplina inductiva, con la llegada de la adolescencia, y con la inevitable pérdida de esa carga reforzante de los padres, los refuerzos-castigos pierden parte de su eficacia (ya no les apetece que esté detrás de ellos alabando sus calificaciones, ni puede reforzarlo cada vez que recoge su ropa) o sus hijos se convierten en adolescentes sumamente dependientes de las consecuencias externas que les proporcionamos, pidiéndonos cada vez más. Sin embargo, si ha ido sustituyendo el sistema de refuerzo-castigo (que nunca debe desaparecer del todo) por una «autodisciplina» inductiva, el adolescente sabrá cómo debe conducirse (aunque ello no coincida con lo que usted piensa).

Hay que tener en cuenta que, como ya se ha dicho anteriormente, en la adolescencia el grupo primario (los padres) pierden «influencia», adquiriéndola el grupo de iguales (los amigos). Tanto es así que recientemente, en unas jornadas sobre infancia, los expertos en este tema afirmaban que «hay que fijarse menos en las calificaciones de nuestros hijos y más en las obtenidas por sus amigos».

Si admitimos la importancia que tiene el grupo de amistades sobre la conducta de su hijo y la poca influencia que sobre ello puede ejercer usted, quedará claro que el haber sembrado una disciplina inductiva, razonada, habrá creado en su hijo una aptitud crítica y le dotará de la capacidad de saber razonar y, en su caso, rechazar aquellas presiones que le lleguen desde el grupo y sean negativas para su desarrollo.

6

Bla, bla, bla

Una situación especial: afrontando la hostilidad.

A lo largo de lo que va de manual ya se ha indicado en varias ocasiones la necesidad de entablar continuas conversaciones con su hijo, de mantener un diálogo fluido en el que tenga cabida tanto lo que usted desea decirle a su hijo, como aquello que éste necesita transmitirle a usted. Y no sólo con la palabra, sino con los gestos y las actitudes.

Quizás piense que para mantener una conversación con su hijo no necesita un capítulo, pero una charla, y esto lo habrá comprobado ya, puede dar frutos amargos. Lejos de lo que se pueda pensar, comunicarse, al menos de forma eficaz, no es un acto natural que no necesita aprenderse, y la prueba se la podrían dar los políticos que utilizan parte de su tiempo en aprender estas habilidades de comunicación.

Lo que en este capítulo va a encontrar es una serie de indicaciones sobre las habilidades que debemos potenciar en su conversación para que su hijo capte su disposición.

Antes de empezar conviene que tenga en cuenta dos aspectos: el primero es que debe estar disponible, es decir, que la conversación no siempre tendrá lugar cuando usted lo desee, sino cuando su hijo lo necesite. Esto es una semilla que hay que plantar y cuidar. El joven irá percibiendo con el tiempo si verdaderamente le escucha, si no está pensando en otra cosa, si tiene prisa o si es capaz de hacer un paréntesis y dialogar. El segundo aspecto es que no sirve de nada utilizar estas técnicas si su conducta dice lo contrario de su discurso. Ya se ha comentado anteriormente que el aprendizaje vicario (por imitación) es un instrumento importantísimo en la educación de los hijos. Si se le ofrece un modelo capaz de dialogar, de ceder, de comprender, de escuchar, estará aportándole la mejor enseñanza posible.

Por ello es importante ofrecer a su hijo, mediante el diálogo, los principios que desea inculcar en él y entre los que no deben faltar el cariño o la capacidad de reconocer los errores. Puede hacerle ver que, a pesar de sus diferencias, están en el mismo equipo y que, a pesar de todo, seguirá queriéndole; también debe transmitirle que usted es humano y que puede equivocarse y ser capaz de reconocerlo. Es interesante que mediante su diálogo deje claro que siempre hay la posibilidad de echar marcha atrás y que, de ser así, la «puerta» estará siempre abierta, que por muy distanciadas que estén las posturas, usted está deseando cambiar la situación y volver a abrazarle. Y esto nos lleva a un último mensaje que debe ofrecer con sus palabras y es que todo su enfrentamiento se debe no al odio o la lucha por el poder, sino todo lo contrario, a su preocupación y su cariño.

Las recomendaciones que se van a tratar en este capítulo son:

- Escucha y házselo saber.
- Entiende sus sentimientos.
- Resume sus ideas y dale información útil.
- Elige bien el lugar y el momento adecuados.
- Usa los mensajes YO.
- Llegad a un acuerdo parcial.
- Acuérdate de recompensar.
- Hazle reír y ríete con él.

Antes de entrar a describir estas habilidades hay que señalar dos indicaciones a tener presentes. La primera es que *sea usted siempre espontáneo.* De nada sirven estas recomendaciones si el discurso suena a forzado o artificial. La segunda indicación hace referencia a las frases modelos que se irán exponiendo y que usted deberá adaptar a su vocabulario y al estilo de habla que utilice normalmente.

1. *La escucha activa:* Se trata, como apunta Alemany (1998), de mostrar una atención tanto física como psicológica a la persona que nos habla, comprendiendo el contenido de lo que nos dice y la emoción que con ello nos expresa.

   Todos necesitamos ser escuchados y, a veces, el simple hecho de tener a alguien a quien contar nuestro problema hace que éste sea más soportable. Y esto es debido a que si su hijo tiene que contarnos un problema, primero tendrá que estructurarlo para poder transmitirlo.

   Por ello *siempre debe empezar sus conversaciones escuchando.* Algunos autores, de corte humanista (Costas y López, 1991; Gendlin, 1991; Alemany, 1984; Roji, 1996) explican las claves para que quien tenemos enfrente perciba que lo estamos escuchando y que pueda adaptar al diálogo con su hijo:

   — No inicie la conversación con un juicio previo.
   — Observe lo que le están diciendo y cómo se lo están diciendo.
   — Asuma una postura activa, inclinándose hacia el interlocutor, colocando su cuerpo frente al del que habla, evite cruzar las piernas o los brazos.
   — Mantenga un contacto visual, mírelo a los ojos.
   — Realice gestos y produzca indicaciones verbales (*«uh, uh», «vale», «lo entiendo»*) que indiquen a su hijo que lo está escuchando.

— Resista las distracciones externas (ruidos, llamadas de teléfono, etc.) y las internas (preocupaciones, prisas...).
— No interrumpa a su hijo, déjele hablar.
— No rechace lo que su hijo siente.
— No confeccione soluciones preestablecidas, ni precipitadas.

2. *La capacidad de empatizar:* Consiste en ser capaces de aceptar que cuando alguien se porta de una forma, tiene un motivo, una razón para actuar de esa forma. Como dice Parada (1996) «no se trata de mostrar alegría. Ni siquiera de ser simpáticos. Simplemente que somos capaces de ponernos en su lugar». Tampoco significa estar de acuerdo. Por ejemplo, cuando un padre maltrata a un hijo debemos de partir de la idea de que tiene una razón (problemas psicológicos, sociales, falta de destreza educativa...), pero ello no significa que debamos consentir este maltrato.

Para empatizar debemos intentar meternos en su pellejo, observar sus expresiones, el tono de su voz, su comunicación corporal. Para demostrarle esta actitud usaremos frases como *«entiendo lo que sientes...»*, *«noto que...»*.

Otro aspecto a tener presente es que el padre no debe convertirse en el «colega» de su hijo. Algunas madres que acuden a las consultas psicológicas suelen expresar la idea de que son las mejores amigas de sus hijas, creyendo que esto es el ideal, pero ello no es así. Usted puede llevarse bien con su hijo y debe hacer un esfuerzo por empatizar con él, pero no convertirse en su amigo/a, para ello ya existe un grupo de iguales. Usted debe permanecer en el papel de padre/madre, tan importante como el de amigo/a.

3. *Resumir sus ideas y darle información útil:* Resumiendo las ideas y sentimientos que acaba de escuchar a su hijo conseguirá hacerle comprender que lo ha entendido, que ha estado atento a lo que le decía. Utilice frases como *«si no te he entendido mal...»*, *«entonces lo que me quieres decir es...»*.

Pero no basta con demostrarle que lo hemos escuchado y entendido, habrá que completar sus ideas, por eso, tras resumir éstas debemos completarlas con información que le sea útil y que debe ser positiva (*«me ha gustado...»*, *«me ha parecido estupendo que...»*), específica, oportuna y orientada hacia el presente y el futuro (Costa y López, 1991).

En esta información indicaremos qué espera que se haga y qué espera que no se vuelva a hacer; por último, sugiera alternativas para mejorar.

4. *Elegir el lugar y el momento adecuados.* Sin duda, éste es un aspecto de suma importancia ya que cualquier habilidad utilizada en una situación inapropiada producirá el efecto contrario al deseado.

Pensemos en la siguiente situación:

«Le encuentra a su hijo un cigarrillo en la mochila escolar, sale a la calle y está con su pandilla. Además de su mejor amigo, están presentes unos nuevos amigos y un par de chicas. Usted llega, le enseña el cigarrillo y le pide que le explique su aparición en la mochila, aceptando que fumarse un cigarrillo pueda quedar muy bien con los amigos, pero advirtiéndole de los peligros que entraña el tabaco. Su hijo mira a los amigos, los amigos le miran a él. Quizás aparezca alguna risita irónica».

Lo más seguro es que, a pesar de su buena disposición, usted reciba una respuesta y, sobre todo, una actitud indeseada que, si hubiese esperado a que su hijo estuviese fuera del contexto de iguales, hubiese evitado.

Su hijo, como todos nosotros, interpreta diferentes papeles en diferentes contextos y actúa en relación a lo que los demás esperan de él en ese papel. Además, tomarse un tiempo para decidir el lugar y esperar a que llegue el momento adecuado, le va a dar la oportunidad de preparar una estrategia y enfriar los ánimos. A grandes rasgos podemos establecer unas simples normas:

— Si vas a criticar o pedir explicaciones espera a estar a solas con tu hijo.
— Si vas a elogiarlo, será bueno que esté con su grupo u otras personas significativas.
— Párate a pensar si necesitarás el apoyo de tu pareja, un experto en conducta o su profesor.
— Si ha comenzado una discusión y ves que se te escapa de las manos o que no es el momento apropiado utiliza frases como *«si no te importa podemos seguir discutiendo esto en... más tarde»*.

Ejercicio: Recuerde alguna situación en la que piense que el no haber elegido un lugar o momento apropiados haya hecho que el diálogo fracasara. Luego decida dónde y cuándo debería haberlo hecho y qué cambios habría obtenido.

5. *Uso de los mensajes YO:* Ésta es la habilidad que más cuesta usar y de la que se pueden sacar más beneficios. No le salen las palabras, le da incluso vergüenza porque le hace vulnerable, porque significa abrirse a los demás y cree que esto nos hace débiles.

Por regla general, cuando queremos transmitir nuestro disgusto por algo que ha hecho otro, lo acusamos y generalizamos la situación. Es corriente que el mensaje que envía tenga la estructura: «Tú siempre/nunca...». Lo que se propone es que:

a) Concretice: «Cuando tú...».
b) Muestre sus sentimientos: «... yo me he sentido...».
c) Explique el porqué de este sentimiento: «... porque...».
d) Especifique el cambio: «... por eso te pediría que la próxima vez...».

Ejercicio: Recuerde un mensaje «Tú-generalización» que haya utilizado recientemente y cámbielo por un mensaje YO.

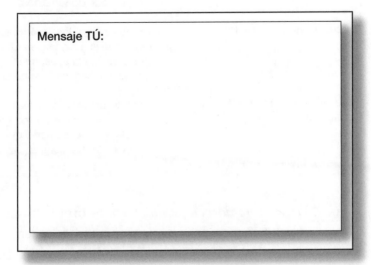

Mensaje TÚ:

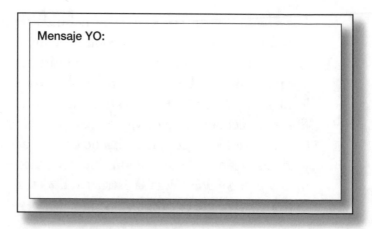

A continuación le presentamos algunos ejemplos de mensajes tú (recuadro de la izquierda) y los respectivos (posibles) mensajes YO (recuadro de la derecha). Intente crear otros mensajes YO.

Mensaje TÚ:	Mensaje YO:
Siempre haces lo que quieres (llega tarde).	Has llegado una hora más tarde de lo acordado y me he pasado todo el tiempo preocupado. Por favor, si vas a volver a hacerlo, llama desde donde estés.
Eres un vago (no estudia).	Pronto serán los exámenes y temo que suspendas, sé que estudiar es una lata, así que te propongo que hagamos un horario...
Jo, ya estás como siempre: de malhumor.	Cuando estás triste y malhumorada, no sé la causa y me siento impotente, me gustaría que me contases lo que ocurre.

6. *Llegar a un acuerdo parcial.* Ésta es otra habilidad que cuesta poner en práctica porque significa ceder, reconocer que los demás, en este caso su hijo, también pueden

tener parte de razón. Y sin embargo es un buen ejemplo que puede, debe, ofrecer a sus hijos: el ejemplo de que somos capaces de equivocarnos y rectificar; que somos capaces de reconocer nuestros errores, con lo cual nuestra opinión cobra más importancia.

Además bien usado puede conducirle al mismo punto que desea, pero dando la impresión de que ha cedido parte del terreno.

«Todos los años, al llegar las fiestas locales, los menores acogidos en el centro donde trabaja uno de los autores le interrogan sobre la hora a la que les va a dejar llegar por la noche. Se empieza ofertando media hora más temprano de lo que se está dispuesto a permitir y luego, con expresión compungida, se cede media hora más con lo que los menores se sienten triunfadores...».

El acuerdo parcial puede expresarse con frases como *«es posible... pero...»* o *«si yo no digo que no sea cierto eso que dices, pero...».*

No quisiéramos acabar este epígrafe sobre el acuerdo parcial sin aclarar que debe ser el producto de una reflexión y no un mecanismo para eliminar (evitar) problemas o discusiones.

7. *Acuérdate de recompensar:* Aunque ya hemos hablado de esta habilidad (capítulo 5), es interesante que hagamos algunas anotaciones aquí. El primer aspecto es insistir en que cuidemos de no reforzar las conductas que queremos eliminar. Esto ocurre algunas veces sin que se dé cuenta, como cuando sólo atiende cuando su hijo se porta mal. También es importante que evite recompensar conductas dispares (un día una y al día siguiente la contraria).

Por eso no debe olvidar los comportamientos positivos, que seguro que los hay. Sea preciso indicando con claridad qué es lo que está reforzando.

Ejercicio: Coja una hoja en blanco y trace una línea vertical en medio de la hoja. Encabece una columna con el epígrafe «conductas negativas» y la otra columna con «conductas positivas». Puede escribir tantas conductas negativas como quiera con la única norma de que las positivas siempre deberán ser más numerosas.

Recompensando conseguirá elevar la autoestima de su hijo y la suya y reducirá el estrés de la situación. Una sonrisa, una palmada en la espalda, un reconocimiento bastarán y serán más eficaces que un refuerzo material, caro, pero con menor valor emocional. Como con otras habilidades, recuerde que no debe exagerar, ni ser artificial.

8. *El mejor final: una sonrisa.* Las habilidades referidas se utilizarán siempre en situaciones serias, de desacuerdo, de enfrentamiento o crítica; pero esto no es incompatible, más bien todo lo contrario, con acabar con una situación distendida, amable, de reconciliación y de alegría.

Sin duda, el mejor final para el encuentro con su hijo será acabar sonriendo, pues una sonrisa es el mejor indicador de que vamos por buen camino.

La forma de conseguirla es variada y debe adaptarse a nuestra forma de ser. Hay personas que son fantásticas contando chistes y otros que no son capaces de hacernos creer que lo que acaban de contarnos es un chiste. Otras personas conseguirán que nos riamos con una expresión exagerada y provocativa (*«Por lo menos has estado estudiando 5 minutos para el examen»*) o con una recomendación paradójica (*«Oye, no estudies tanto que el agotamiento te hace suspender»*) o utilizando algún comentario humorístico (*«¡Llamad a urgencias, Pedrito está estudiando!»*).

El humor hará disminuir el estrés, romper los esquemas defensivos y refuerza el diálogo.

Pero hay que recordar que antes de usar una broma hay que conocer las circunstancias por las que pasa su hijo para no «meter la pata» *(Un padre bromeaba con su hijo sobre lo «mariquita» que eran los jóvenes usando pendiente, hasta que su hijo le confesó que era homosexual).*

Esperamos que este capítulo lo acabe con una de estas sonrisas.

Una situación especial: afrontando la hostilidad

Este libro no trata de situaciones de diálogo en situaciones de tranquilidad, ni de negocios; trata de situaciones en las que, desgraciadamente, padres e hijos se enfrentan asumiendo posiciones hostiles.

Cuando nos enfrentamos a la hostilidad en una interacción, solemos caer en la tentación de responder a ella rápidamente, bien para defendernos y negarlo todo, bien para intentar salir de la discusión o bien, lo que es peor y más frecuente, para presentar nuestra propia hostilidad.

Salir airosos de estas discusiones depende, en parte, de conocer cómo responde el ser humano ante un «ataque» dialéctico, conocer cómo funciona, a nivel psicológico, la hostilidad.

Para ello acudiremos a la Curva de la Hostilidad que desarrollaron Allaire y McNeill (mencionados en Costa y López, 1991).

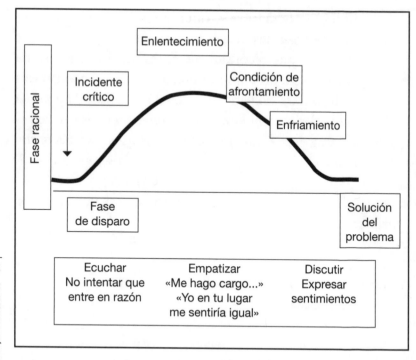

Cuando alguien levanta la tapadera y deja escapar su ira, comienza un episodio de hostilidad, pasando de una fase racional a una fase de disparo a partir de la que van aumentando sus niveles de adrenalina y, por tanto, de hostilidad. No será hasta transcurrido un buen rato, cuando comience a disminuir su enfado y entre en la fase de enlentecimiento para llegar por fin a un estado propio para la solución del problema.

Si compara este gráfico con la conducta que suele manifestar en estos casos, verá que hace lo contrario de lo que debe hacer. Durante la fase de disparo y hasta que no empieza el enlentecimiento, es decir mientras va aumentando la hostilidad, sus argumentos no llegarán a producir ningún efecto positivo, más bien su hijo se sentirá atacado. En esos momentos necesita lanzar todo lo que lleva dentro, por ello su actitud debe ser de escucha y empatía. Será cuando note que su hijo comienza a calmarse cuando podrá discutir y expresar sus sentimientos en relación al problema y a cómo le ha afectado su anterior hostilidad, pidiéndole cambios, aclarando malentendidos y aceptando críticas.

Ninguna de estas «habilidades» es infalible, el resultado dependerá de usted y de quien tiene delante, de su experiencia y de mil factores más. 99 de cada 100 veces pensará que ha fracasado porque no ha obtenido los resultados que esperaba, pero, con suerte, una vez saldrá victorioso y conseguirá terminar un episodio de disputa en una experiencia de encuentro, diálogo y solución del problema... entonces habrá valido la pena y se sentirá mejor que nunca.

Ejercicio: Reflexione unos minutos sobre los fallos más comunes que suele cometer en sus discusiones con su hijo y cómo puede cambiarlas.

Ejercicio: Aproveche cualquier conversación con su hijo para poner en práctica lo que ha aprendido. Comience planificando el momento y lugar, y anote algunas cosas positivas de las que vaya a hablar con él. No pase al próximo capítulo hasta no haber puesto en práctica los ejercicios anteriores.

7

Modificando nuestra conducta y nuestras emociones

Un paso más adelante: delegar responsabilidades.
Cuidarse para cuidar a los demás.
Y a pesar de todo, me siento responsable.
Pero, ¿de veras lo ha hecho tan mal?
A pesar de todo, he fracasado.

Los problemas comportamentales de los hijos y el consecuente deterioro de las relaciones padre-hijo van inevitablemente unidos a trastornos de ansiedad y otra serie de problemas cognitivos en los padres.

La visión que tiene de su hijo se va modificando y pasa de verlo como «lo que más quiere en el mundo», al que le acepta todo y con el que mantiene una relación de cariño; a verlo como un ser casi desconocido y, en último extremo, hasta odiado. Le asigna calificativos negativos que no sólo hacen referencia a su conducta, sino a la totalidad de su persona.

Los psicólogos cognitivos han insistido en la importancia que tiene la interpretación de los acontecimientos y las expectativas sobre la forma de actuar y sobre la forma en que nos repercuten los acontecimientos.

Pongamos un ejemplo:

Dos hermanos gemelos son invitados por una compañera, que les gusta a los dos, a su fiesta de cumpleaños. Juan, uno de los gemelos, es lo que solemos llamar un pesimista e interpreta esta invitación como un acto forzado por su amistad y piensa que pasará desapercibido para la chica en la fiesta. Pedro, el otro gemelo, es su polo opuesto y ante la invitación se siente muy feliz pues piensa que se le abren grandes posibilidades de intimar con su amiga. Es su gran ocasión.

¿Quién diría usted que tiene más posibilidad de terminar char-lando en la terraza con la chica de sus sueños? Sin embargo, los dos recibieron la misma invitación y tanto física como intelectualmente son similares.

Cuando nos enfrentamos a un acontecimiento suele producirse una secuencia similar a la siguiente (Ellis, 1977; Meichenbaum, 1977):

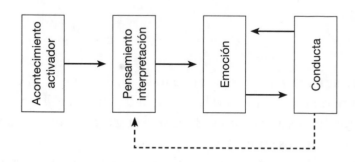

Entre el momento en que nos encontramos ante un acontecimiento que requiere de nosotros una actuación y la conducta que desplegamos, tienen lugar dos hechos que pueden pasar más o menos inadvertidos; el primero es que se desencadenan una serie de pensamientos que interpretan lo que acaba de ocurrir y las repercusiones que pueden traernos, estos pensamientos pueden ser más o menos realistas y dependiendo de ello tendrá lugar el segundo paso: las emociones estarán acordes con el resultado de nuestra interpretación; a su vez el tipo de emoción que tengamos guiará nuestra conducta. El proceso del que solemos ser menos conscientes es el de los pensamientos. Si nos preguntamos después por los hechos seremos capaces de relatar qué pasó, cómo nos sentimos y cómo actuamos, pero nos será más difícil contestar qué nos pasaba por la cabeza en esos momentos, qué pensábamos.

Ejemplo:

> Acontecimiento activador: Luis, el hijo de Felipe, llega de nuevo tarde a casa a pesar de la prohibición de su padre.
> Pensamiento de Felipe: No soy capaz de educar a mi hijo. Yo que siempre he criticado a mis amigos por cosas similares.
> Emoción de Felipe: Ira, impotencia.
> Conducta: Discusión, forcejeo.

Ejercicio: La próxima discusión que tenga con su hijo piense en el acontecimiento que activó ésta y en los pensamientos y emociones que le siguieron (si lo prefiere hágalo pensando en una discusión pasada).

En su relación con sus hijos acude con expectativas y pensamientos que, de ser negativos, minarán los encuentros. No se trata aquí de lo que puedo cambiar en su hijo para sentirme mejor, sino de lo que puede cambiar en usted para que el problema no le afecte más de lo que debe hacerlo y le permita tratarlo adecuadamente.

Los pensamientos más negativos suelen ser aquellos de carácter absolutista como «siempre...»; «nunca...»; «tener que...»; «deber de...».

— «Siempre debo saber resolver el problema...
— Nunca debo fracasar...
— Tengo que controlar la situación...
— Mi hijo debe ser correcto en su trato en todo momento...

Estos pensamientos, llamados automáticos y distorsionados, han sido calificados por Beck (1967) como *distorsiones cognitivas* o suposiciones ilógicas y clasificados según una extensa variedad.

Una simple clasificación de estos pensamientos nos hará comprender e identificar en nosotros algunos de ellos:

1. Pensamientos de «todo o nada» o pensamiento polarizado: Se trata de pensamientos extremistas del tipo blanco o negro; buenos o malos.

2. Personalización: Por la que uno se culpa de acontecimientos externos sin poseer prueba de su responsabilidad.

3. Abstracción selectiva: Ocurre cuando llegamos a una conclusión por detalles sacados de contexto (por ejemplo, «Mi hijo no me quiere porque no ha querido venir hoy conmigo al cine»).

4. Sobregeneralización: Llegar a una conclusión partiendo de una sola experiencia («Anoche mi hijo no me hizo caso, es un caso perdido»).

5. Interferencia arbitraria: Precipitarse en las conclusiones, sin considerar otras explicaciones («Mi hijo apenas si ha hablado... ¡me detesta!»).

6. Magnificación: Hacer una montaña de un grano de arena. Se realiza cuando se fracasa.

7. Minimización: Infravalorar los éxitos obtenidos («Sí, mi hijo ha comprendido mi explicación y se ha pasado la tarde estudiando, pero seguro que le dura poco»).

8. Inferencia de pensamiento: Estar en la certeza de lo que los demás van a pensar de uno, sin poseer prueba de ello.

9. Pensamiento catastrofista: Creer que va a suceder lo peor, algún tipo de accidente o consecuencia negativa («Si dejo que mi hijo vaya al viaje de estudios, seguro que tiene un accidente»).

10. Idea irracional de control: Creer que el sufrimiento o felicidad de otros depende de nosotros («Si no cuido de mi hijo, será un inútil»).

11. Idea irracional de cambio: Suposición de que si presionamos lo suficiente, conseguiremos que nuestro hijo cambie su conducta adaptándola a nosotros.

12. Globalizar: Realizar un juicio global mediante una característica («Nunca recoge sus cosas, es un vago»).

Seguro que usted ha reconocido alguno de estos pensamientos como propios. Algunos estudios (Goldfried y Sabocinski, 1975) han encontrado una relación positiva entre el grado de ideas irracionales que presentaba un individuo y la puntuación obtenida en ansiedad interpersonal y otros miedos. Es decir, que cuantas más ideas inapropiadas, exageradas, produzcamos ante el mundo que nos rodea, más propensos seremos a sentirnos mal en nuestras relaciones con los demás y más aprensión sentiremos en diferentes ambientes y ante diferentes estímulos (hospitales, fiestas, hablar en público, realizar un trabajo...).

A estas alturas usted debe de haber comprendido que sus cogniciones (pensamientos, creencias) funcionan como mediadores de su activación emocional y ésta, a su vez, lo hace en su conducta. Es decir, que en realidad un acontecimiento (por ejemplo, que su hijo aparezca con un pendiente en la nariz) no es el causante directo de su emoción (por ejemplo, enfado), sino los pensamientos, las interpretaciones que hace de ese hecho (por ejemplo, «Lo ha hecho para desobedecerme»). También debe de haber comprendido que hay pensamientos (ideas) que son irracionales o ilógicas.

Muy bien, pero se preguntará de qué me sirve comprender este proceso, cómo puedo variarlo. Ahora es cuando comenzamos el cambio de estas ideas.

El objetivo ahora es cambiar ese esquema de:

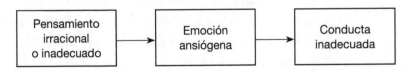

Por otro más adecuado:

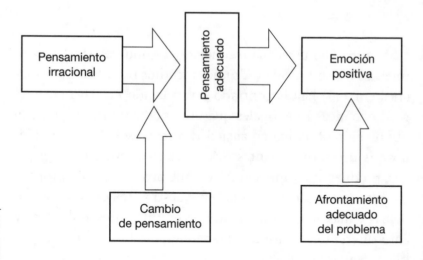

Para ello, cuando detecte un pensamiento irracional, que le provoca ansiedad, depresión... deberá seguir los siguientes pasos:

1. Detenga sus pensamientos. Pregúntese: ¿qué me estoy diciendo que me causa esta alteración?
2. A continuación pregúntese cuál es la probabilidad de que la interpretación que se está haciendo de la situación sea realista. Qué evidencia tiene de que su interpretación sea la correcta. ¿No existen otras posibles interpretaciones? ¿Cuáles?
3. Pregúntese si en el caso de que la interpretación negativa que se ha hecho fuese la correcta, hasta qué punto son graves sus consecuencias y si no tiene solución.

Ejemplo: *¿Recuerda el gemelo pesimista? Cuando estaba en la fiesta le preguntó a la chica si le gustaría bailar con él. Ella rechazó el ofrecimiento educadamente. Él se retiró a un rincón y pensó: «Lo que yo decía, no le gusto». Un*

Este principio, que podría parecer egoísta o una forma de evitar enfrentarse a los problemas, servirá para conseguir un estado más satisfactorio con el que comenzar una interacción. Estos consejos podrían resumirse en los siguientes principios:

1. Haga ejercicio. Vuelva a practicar aquel deporte que le gustaba en su juventud o comience a practicar otro acorde con su estado físico.
2. Dedique un tiempo para soñar, meditar o relajarse. Pero hágalo con constancia, sin buscar excusas para dejarlo para mañana.
3. Acérquese. Acaricie más a su pareja, muestre su afecto a su hijo abrazándole y, como aconseja Michael Mahoney a los terapéutas a los que dirige, acuda a un centro de masajes donde se abandone al cuidado de otra persona.
4. Mejor varias minivacaciones que sólo unas grandes vacaciones. Cuando sugerimos minivacaciones, nos referimos a una cena para dos en un lugar tranquilo, un paseo por la playa a primera hora del sábado, escuchar un concierto o salir de viaje un fin de semana. Aléjese de casa, deje a los hijos con un amigo o, si es posible, solos y dedique un tiempo para usted y su pareja. Pero durante este tiempo olvídese de los problemas y sienta que no tiene que controlar nada.
5. Acepte ayuda: un amigo que haya pasado por circunstancias similares, un psicólogo, un profesor, etc. Siempre le harán ver un punto de vista útil y no se sentirá tan solo.
6. Participe, apúntese a una ONG, hágase socio de aquella asociación cuyos principios tanto le atraen, escriba un artículo para la prensa donde exponga su

opinión, colabore en las actividades culturales de su ciudad.

7. Cuide su salud y su aspecto: es hora de pensar en uno mismo. Muchos matrimonios, inmersos durante años en la difícil tarea de educar a sus hijos y conseguir una situación desahogada y estable olvidan cuidar su salud, que a veces se deteriora con el estrés, las comidas precipitadas y poco saludables y tantas otras malas costumbres. Tampoco han tenido tiempo de cuidar su físico, lo que influye en su autoestima.

8. ¡No se corte, juegue!: ¿Cuánto tiempo hace que no se reúne con los amigos y juegan a mímicas, acertijos, preguntas o cualquier otro juego que le divierta? El juego es una actividad gratificante y necesaria para todas las edades, no lo olvide.

> *Resumiendo:* Dedique más tiempo a estar contento consigo mismo, realice actividades que le relajen, le estimulen o le diviertan y podrá encarar los problemas con mejor disposición.

Y a pesar de todo, me siento responsable

«... *Intentamos darle una educación lo más completa posible, predicando con el ejemplo. En más de una ocasión nos quedamos sin un capricho para que él pudiese irse a ese campamento que le gustaba o arreglarle su habitación. Recuerdo que cuando enfermaba nos pasábamos la noche sin despegarnos de la cabecera de su cama... siempre intenté razonar con él la necesidad de ser responsable y respetuoso con los demás y jamás le puse una mano encima. A menudo consultaba con sus profesores, pasaba parte de la tarde ayudándole con los deberes escolares y, hasta un año, su madre y yo acudimos a una escuela de padres... hemos hecho todo lo que sabíamos y, sin em-*

bargo, hemos fracasado como padres. Mi hijo ha dejado los estudios, apenas hablamos y cuando lo hacemos es para discutir y fuma como un carretero.»

Éste podría ser el autorreproche de muchos padres ante el deterioro de su relación con su hijo al llegar éste a la adolescencia.

Pero, ¿de veras lo ha hecho tan mal?

Ante esta sensación primero habrá que preguntarse si verdaderamente lo ha hecho tan mal. En muchas ocasiones esta conclusión «catastrofista» proviene de una interpretación parcial de la persona que tiene frente a usted.

Contrariamente a lo que piensa, si su tarea como padre ha sido correcta, ello no querrá decir que el trato con su hijo será una balsa de aceite; todo lo contrario, si ustedes han educado a su hijo para convertirse en un adulto, independiente y capaz de tomar decisiones, la transición de éste de púber a adulto estará salpicada de un tira y afloja entre su autoridad y su necesidad de probarse a sí mismo. Discutirá por la hora de llegar a casa, elegirá una ropa que lo diferencie de usted, elegirá abandonar la carrera con la que tanto había soñado para convertirse en mecánico de motocicletas o repartidor de comida a domicilio, discutirá sobre lo correcto, lo importante o cualquier tema que vea de forma distinta. No debe sentirse defraudado si su hijo toma decisiones opuestas a las suyas, contrariamente a ello debe aceptarlo como una indicación de que ha sabido inculcarle la capacidad de pensar por sí mismo, aunque las decisiones que tome sean incorrectas (al menos desde nuestro punto de vista).

Tampoco debe defraudarle si su hijo experimenta un bajón en los estudios (y menos en unos tiempos en los que el objetivo de éstos no está claro) porque pierde (a nuestro criterio) el tiempo en el local de moda o en la cancha del polideportivo. Es cierto que quizás este bajo rendimiento en los estudios le repercuta en su carrera profesional (objetivo muy valorado en nuestra sociedad competitiva), pero habrá ganado un tiempo necesario para alcanzar un objetivo prioritario de la adolescencia: la competitividad sentimental/sexual y la búsqueda de pareja.

Se suele magnificar los «fallos» de la conducta de los hijos y con ello el fracaso como padres; también es frecuente pensar erróneamente que si uno se esfuerza, tiene que conseguir lo que se propone; cuando en realidad esto sería lo deseable, pero desgraciadamente no es lo que se produce necesariamente.

Otra fuente de la que proviene el evaluar mal la labor como padres es el desconocimiento de los cambios lógicos y no «patológicos» que se producen en la adolescencia (véase capítulo 2) y que se catalogan como consecuencias de la mala labor como padres, cuando en realidad son cambios independientes de esta labor.

A pesar de todo, he fracasado

Una parte de los padres, ante los problemas ciertos de la conducta de su hijo (problemas con la ley, drogadicción, inadaptación social...), podrían pensar que verdaderamente son responsables de esa conducta. Ante esta postura aún nos quedan dos argumentos. El primero es informarles que nunca es tarde para rectificar, aunque cuanto más espere, más difícil será su trabajo; recuerde lo que le avisamos al principio, la educación de su hijo comienza cuando es un bebé.

El segundo argumento es notificarle que no es usted tan importante como se piensa. La conducta de su hijo se deberá a la interacción de numerosos factores de los que usted no es más que uno. El grupo de iguales, el sistema educativo (o la falta del mismo), las modas sociales, la moral imperante, el nivel económico... el efecto mariposa, todos estos y muchos más factores influirán en su hijo y muchos de ellos en sentido contrario a sus objetivos, por ello no debe sentirse como único culpable si su hijo termina lejos de lo que usted pensó... y mucho menos echarle la culpa a su pareja.

8

Conclusiones

Empezamos este manual con el propósito de cambiar a su hijo y al terminarlo podemos tener, ojalá, la impresión de que el que ha cambiado es usted. Hay quien piensa que los hijos no son propiedad de los padres, sino sus compañeros de viaje. Estemos de acuerdo o no con esta idea, lo cierto es que tiene no el derecho, sino el deber de educar a sus hijos y de ayudarles a pasar una difícil etapa que llamamos adolescencia. Habrá que perdonarles que hayan dejado de tenerle como héroe, habrá que perdonarles que decidan por su cuenta y en contra de la sabia opinión de su padre, habrá que perdonarles que aún no entiendan que todo lo que usted hace lo hace por el bien de su hijo. Por su parte tendrán que perdonarles que no le den todo lo que piden o que usted esté siempre con «su rollo» y «sus películas».

La idea central de todo lo dicho hasta el momento es que puede cambiar la conducta de su hijo, pero que para ello deberá cambiar usted también. Debe adquirir una serie de habilidades como conocer la forma de resolver un problema y la forma que debe adoptar su lenguaje en las conversaciones con su hijo. No se ha hablado de la necesidad o, al menos, de lo aconsejable que es que aprenda a relajarse, porque encontrará numerosos manuales donde aprender las diferentes técnicas. Aquí solo insistiremos en que relajarse, como costumbre, le ayudará no sólo a resolver sus problemas con su hijo, sino a vivir más y mejor (como la dieta mediterránea y el ejercicio moderado).

Una visión más optimista y realista y la resolución valiente de confiar en su hijo darán como resultado una mejora en las relaciones y, sobre todo, una mejora en su salud psicológica.

Mahoney habla del «mito del llegar» o de «la felicidad para siempre jamás» refiriéndose a esa creencia con la que llegan los pacientes a la consulta de alcanzar un estado en el que no tengan problemas, en el que todo sea positivo. El que piensa así nunca conseguirá su objetivo. La vida es un incesante enfrentarse a los problemas y conseguir la satisfacción de resolverlos o la capacidad de aceptarse siendo imperfectos. No es posible llegar a la felicidad para siempre jamás, ni ése es el objeto de este libro, ni siquiera es deseable, pues los problemas nos desarrollan, nos hacen más humanos. El objetivo de la lectura de este libro es capacitarle para enfrentarse a los problemas y ser capaces de aceptar los errores.

Otro aspecto que esperamos que le haya quedado claro con la lectura de este manual es la necesidad de seleccionar los motivos por los que entrar en discusión con su hijo. En muchas ocasiones se enfrenta por aspectos que con el tiempo comprende que no eran tan importantes como para reñir con una persona a la que quiere, el corte de pelo (¿recuerda como se dejó la melena en los años setenta?), un pequeño retraso en la hora de llegar a casa (¿nunca le pidió a su padre llegar más tarde?, ¿no pensó a menudo que su padre era demasiado estricto en el horario?), etc.

En este manual nos hemos centrado en lo que puede hacer por su hijo, sin embargo, no debemos olvidar que usted tan sólo es uno de los «círculos» de influencia con los que se enfrenta. La televisión y los modelos de joven que promueve; su grupo de iguales con los que pasa más tiempo que en casa y con los que se identifica más que con sus padres, la educación recibida en el centro escolar, la sociedad y sus retos y los abuelos. Detengámonos en estos últimos un poco más. Los papeles familiares han cambiado con la incorporación de la mujer al trabajo y entre estos cambios se encuentra el papel que adoptan los abuelos. Acuden a ellos a menudo (qué sería de los padres si no los tuvieran para dejarles a los niños esa noche que salen a cenar o cuando los dos padres tienen que trabajar). Sin embargo, esto tiene su contrapartida: «los abuelos miman y consienten a los nietos», los padres se quejan después. Una tarea, ajena a este manual, es la de ponerse de acuerdo con los abuelos respecto a la educación de nuestro hijo. Suerte.

Un último ejercicio

Para finalizar este manual le proponemos quizás el ejercicio más importante de todos: abra su agenda y anote que dentro de un mes debe repasar todos los principios que ha leído y esperamos que aprendido en esta lectura.

Lecturas recomendadas

Carrobles, J. A. y Pérez-Pareja, J. (1999). *Escuela de padres.* Madrid: Pirámide.

A pesar de que se trata de una guía práctica dirigida a la modificación de conducta en la etapa infantil, muchos de sus principios pueden ser aplicados en la educación del adolescente. Hay que sumar a ello la claridad de las explicaciones y la amenidad de su exposiciones.

Castillo, G. (1999). *El adolescente y sus retos.* Madrid: Pirámide.

El libro nos muestra una visión comprensiva de los cambios que se producen durante la adolescencia. Las explicaciones sobre las conductas típicas del adolescente permiten adoptar una actitud más empática hacia el joven y comprender la adolescencia y sus cambios como un paso necesario para que el niño se convierta en hombre.

Garaigordobil, M. (2000). *Intervención psicológica con adolescentes.* Madrid: Pirámide.

La obra se estructura en dos secciones. En la primera se nos presenta el marco teórico en el que se sustenta el programa, que se desarrolla en la segunda parte y que tiene como objetivo el desarrollo de la personalidad y el conocimiento y respeto de los derechos humanos para lo que utiliza técnicas de dinámica de grupo.

Macià, D. (2000). *Un adolescente en mi vida.* Madrid: Pirámide.

Se trata de una obra amena y práctica que va mostrando a los padres los pequeños secretos de la educación de sus hijos adolescentes, enseñándoles estrategias tanto para modificar la conducta de su hijo, como cambiar su propia actitud ante los problemas cotidianos.

Meeks, C. (1999). *Recetas para educar*, 5.ª ed. Barcelona: Medici.

La autora, pediatra, presenta esta práctica guía en la que se van ofreciendo sencillos consejos para solucionar o evitar los conflictos entre padres e hijos. Los textos van acompañados de simpáticos dibujos que permiten una mejor comprensión del contenido, haciendo de la obra un apoyo interesante en el asesoramiento de padres.

Bibliografía

Alemany, C. (1984). *Evaluación del entrenamiento en destrezas interpersonales del modelo de Carkhuff.* Vols. I y II. Madrid: Universidad Complutense de Madrid.

Alemany, C. (1998). El escuchar como dimensión terapéutica. *Proyecto Hombre, 26,* 27-42.

Bachman, J. G. (1970). *Youth in transition (vol. II). The impact of family background and intelligence on tenth-grade boys.* Ann Arbor: Institute for Social Research.

Bandura, A. (1969). Social learning theory of identificatory processes. En D. A. Goslin (ed.), *Handbook of socialization theory and research.* Chicago: Rand McNally.

Beck, A. T. (1967). *Depression: Clinical, experimental and theoretic aspecs.* Nueva York: Harper.

Costas, M. y López, E. (1991). *Manual para el educador social.* Madrid: Ministerio de Asuntos Sociales.

Del Barrio, C. (1995). Los conflictos con los padres desde la perspectiva de los hijos. *Infancia y Sociedad, 30,* 133-143.

Dinkmayer, D. y MacKay, G. D. (1976). *Systematic training for effective parenting: parent's handbook.* Minnesota: American Guidance Service.

D'Zurilla, T. J. y Goldfried, M. R. (1971). Problem solving and behaviour modification. *Journal of Abnormal Psychology, 78,* 197-226.

Elder, G. H. (1963). Parental power legitimation and its effect on the adolescent. *Sociometry, 26,* 50-56.

Ellis, A. (1977). Rational-emotive therapy: Research data that supports the clinical and personality hypothese of RET and other modes of cognitive-behaviour therapy. *Counselling Psychology, 7,* 2-42.

Erikson, E. H. (1968). *Identity: Youth and crisis.* Nueva York: Norton.

Gendlin, E. T. (1991). *Focusing. Proceso y técnica del enfoque corporal* (3.ª ed.). Bilbao: Mensajero.

Goldfried, M. R. y Sabocinski, D. (1975). The effect of irracional beliefs on emotional arousal. *Journal of Consulting and Clinical Psychology, 43,* 504-510.

Larroy, C. y de la Puente, M. L. (1995). *El niño desobediente.* Madrid: Pirámide.

López, F. (1995a). Necesidades de la infancia: respuesta familiar. *Infancia y sociedad, 30,* 7-48.

López, F. (1995b). *Necesidades de la infancia y protección infantil.* Madrid: Ministerio de Asuntos Sociales.

Macià, D. (2000). *Un adolescente en mi vida.* Madrid: Pirámide.

McGurk, H. (1989). *Parent-adolescent conflict: All in the mind?* Informe de investigación no publicado.

Meeks, C. (1999). *Recetas para educar,* 5.ª ed. Barcelona: Medici (orig. 1993).

Meichenbaum, D. (1977). *Cognitive behaviour modification: an integrative approach.* Nueva York: Plenum.

Parada, E. (1996). Avances en psicología comportamental aplicada al salvamento profesional. *Seminario de actualización técnico-deportiva.* Madrid.

Rodrigo, M.ª J. (1995). Los mensajes educativos de los padres desde la perspectiva de los hijos. *Infancia y sociedad, 30,* 151-164.

Rodrigo, M.ª J. y Ceballos, E. (1994). La influencia de las metas educativas en la selección de las prácticas educativas. *II Congreso Internacional Familia y Sociedad.* Tenerife.

Roji, M. B. (1996). *La entrevista terapéutica: comunicación e intervención en psicoterapia.* Madrid: UNED.

Vega, J. L. (1984). Tareas evolutivas del adolescente. En J. L. Vega (ed.), *Psicología Evolutiva,* tomo 2, 1151-1172. Madrid: UNED.

CONDUCTA ANTISOCIAL

Evaluación, tratamiento y prevención en la infancia y adolescencia

Kazdin, Alan E.; Buela-Casal, Gualberto

13 x 20 cm. Rústica. 184 págs. 1.ª ed., 6.ª reimp., 2002.

Código comercial: 262603. ISBN: 84-368-0806-1

EL NIÑO IMPULSIVO

Estrategias de evaluación, tratamiento y prevención

Buela-Casal, Gualberto; Carretero-Dios, Hugo; Santos-Roig, Macarena de los

13 x 20 cm. Rústica. 240 págs. 2001.

Código comercial: 262657. ISBN: 84-368-1616-1

EL NIÑO CON PROBLEMAS DE SUEÑO

Sierra Freire, Juan Carlos; Sánchez Gómez, Ana Isabel; Miró Morales, Elena; Buela-Casal, Gualberto

14 x 22 cm. Rústica con solapas. 176 págs. 2004.
Código comercial: 267009. ISBN: 84-368-1869-5

LOS CONFLICTOS

Cómo desarrollar habilidades como mediador

Fernández Millán, J. M.; Ortiz Gómez, M.ª del M.

15,5 x 23 cm. Rústica con solapas. 120 págs. 2006.
Código comercial: 262908. ISBN: 84-368-2057-6

APOYO PSICOLÓGICO EN SITUACIONES DE EMERGENCIA

Fernández Millán, J. M.

15,5 x 23 cm. Rústica con solapas. 144 págs. 1.ª ed., 1.ª reimp., 2006.
Código comercial: 262903. ISBN: 84-368-1932-2

TÍTULOS PUBLICADOS